Exquisito cadáver

ULTRA MARINOS

RAFAEL ACEVEDO

Exquisito cadáver

CUARTO PROPIO   CELESTE   CALLEJÓN   ADRIANA HIDALGO   TRILCE
    [CHILE]   [ESPAÑA]   [PUERTO RICO]   [ARGENTINA]   [MÉXICO]

Exquisito cadáver

© Rafael Acevedo

ISBN: 0-9650111-8-6
© Ediciones Callejón
Ave. Las Palmas 1108. Pda. 18 P.O. Box 9024. San Juan, Puerto Rico, 00908-0024
Tel.: 723-0088 - 723-7827 / Fax: 723-5850
e-mail: callejon@backroompr.com

ISBN: 84-8211-336-4
Depósito legal: M-50.064-2001
© Celeste Ediciones, S. A.
C/ Fernando VI, 8-1º Centro, 28004-Madrid, España
Telf.: (34) 913100599 - 902118298 / Fax: (34) 913100459
e-mail: info@celesteediciones.com / http://www.celesteediciones.com

ISBN: 968-6842-32-2
© Trilce Ediciones
Euler 152-403, Chapultepec Morales, 11570 México, D. F.
Telf.: (055) 2555804 / E-mail: trilce@data.net.mx

ISBN: 987-9396-68-5
© Adriana Hidalgo Editora S. A.
C/ Pellegrini, 755. Piso 12, C1009ABO, Buenos Aires
Telf.: (011) 4393-8819 / Fax: (011) 4322-6215
E-mail: ahidalgo@infovia.com.ar

UNO

La gravedad no es la tortuga besando a la tierra.
MUERTE DEL TIEMPO, José Lezama Lima

O miroir!
Eau froide par l'ennui dans ton cadre gelée
Que de fois et pendant des heures, desolée
Des songes et cherchant mes souvenirs qui sont
Comme des feuilles sous ta glace au trou profond,
Je m'apparus en toi comme une ombre lointaine,
Mais, horreur! des soirs, dans ta severe fontaine,
j'ai de mon rever epars connu la nudité!
HERODIADE, Stéphane Mallarmé

Ninguna de estas palabras es mía. Hay citas, de variada extensión, de Lezama Lima, Paul Virilio, César Portillo de la Luz, Pedro Flores, Deleuze y Guattari, Toni Negri, Los Evangelios, Federico Nietzche, Samuel Beckett, Spinoza, Marx, Jean Baudrillard y otros, que el navegante podrá hallar y cuyo recuerdo escapa a mis capacidades.

Es ésta una obra de ficción. Un ejercicio de la lectura. Una acción con múltiples precedentes. Todo lo que en ella hay ya sucedió o está por suceder. Pero hay tanta información que, como el universo, el ruido y el silencio se halla en continua expansión. No tengo nada que contar, sólo algunas cosas que decir.

Julio, siglo XXI

I

CAMINAS POR LA Duke Ellington Boulevard. Ha caído el Muro de Berlín y no te importa. En realidad no es que no te importe, pero vienes pensando en el frío, con las manos en los bolsillos, en una búsqueda desquiciada de monedas de calor. Como si unos pequeños soles del tamaño de un fosforito estuvieran escondidos en los bolsillos de tu abrigo. Caminas pensando en el valor antiguo de la palabra cifra: ausencia, vacío. Ella es la cifra que ronda tus cálculos. Ha caído el Muro de Berlín y hace frío. Sólo puedes precisar el abrigo negro, largo y abierto. Subes hasta la 106 y en la esquina, frente al banco, miras a la gente pasar y piensas adónde ir, si a Rosita's o al Cubano. Entonces viene el tipo de los relojes. Que si quieres uno a cinco dólares. De marca. A mí el tiempo no me preocupa, el tiempo se queda, yo soy el que pasa, le dices. Él se aleja riendo mientras saborea entre dientes un crazy motherfucker. Tu sombrero decide cruzar la calle y terminas en

Rosita's pidiendo arroz amarillo, pollo, café expreso. Café, dices, como quien dice droga. Ha caído el Muro de Berlín y no te importa. Por eso sigues tomando café en el mismo sentido en el que Hipócrates y Galeno hablaban de esas sustancias que en vez de ser vencidas por el cuerpo son capaces de vencerle. Ella es así, allá lejos donde está, o quizás donde estaría, provocando en ti ciertos cambios orgánicos y anímicos. Crees que hace frío y que la lluvia se asoma. Quizás la nieve aceitosa y gris de Nueva York. Un hombre se acerca y pregunta Are you from Egypt? No, le dices, porque no eres egipcio. Oh, I'm sorry. No sabes por qué se disculpa. Tendrás perfil egipcio. Habrá pensado que eres traficante de opio, o que lo vendes en pomadas o supositorio. Habrá leído *La Odisea* en la Universidad de Columbia y tu olor egipcio le obligó a preguntar, porque Homero dice que hace olvidar cualquier pena. El opio. Piensas que contigo pierde el tiempo porque ni olvidas las penas ni se las haces olvidar a nadie. Por eso llevas ese abrigo negro, ahora que caminas nuevamente por la 106, en dirección al apartamento de Giordano que seguro tendrá vino chileno y te invitará a quedarte hasta mañana. Vas a usar el último dinero que te queda en un boleto de ida. Tienes que regresar, volver allá. Vas a tomar el expreso hasta el Kennedy en la mañana pero necesitas pasar la noche en algún sitio y descansar. Cuando abre la puerta escuchas el rumor del público en un juego de la Serie Mundial. Con una sonrisa maquiavélica Giordano te anuncia que "cayó el Muro de Berlín". "No sabía que hablaba" respondes, para no sonar muy solemne. Hay vino chileno.

Muy temprano te despides. Caminas hasta la cafetería que queda justo a la entrada al subterráneo. Tomas café y escuchas al viejo que cuenta que allá, en su país, al que no visita hace cuarenta y cinco años, hay un cabro que habla. "Algunas palabras", dice, "aunque nunca lo entendí muy bien". Le prometes dar una vuelta por su barrio y preguntar por la vida del animal. Queda contento, tú también de poder ayudarlo de forma tan inútil.

Llegas al Kennedy cerca del mediodía. Consigues acomodarte en el vuelo de las once de la noche. Tienes hambre. Ahora mismo todo se reduce al deseo de comer.

2

LLEGUÉ ALLÍ DURANTE una nevada brutal. Había cruzado el Hudson congelado. Odiando los libros, la cárcel de cuerpo, el ruido de la ciudad. Un vagabundo feliz me había contado que al otro lado del río había un lugar tranquilo. Estuve tres días viajando en el subterráneo. Uptown, downtown, uptown, downtown, uptown, downtown hasta que el hambre me avisó con un golpe salvaje en el estómago. Salí a la calle helada. Cerré los ojos y caminé hacia el río. Había leído, antes de llegar a esta ciudad, que el monasterio budista más real de occidente era ese que se divisaba en días claros desde el edificio más alto del Bronx. Llegué a las puertas del monasterio y toqué un pequeño gong con mis dedos de hielo. En unos minutos que parecieron una eternidad, apareció, silencioso como una hoja, Suey. Me cubrió con una manta anaranjada y me dirigió a una celda pequeñísima mostrándome un camastro, con ánimo de que descansara. Otro monje apareció, literalmente, con una sopa rala que dejó sobre una mesita de mimbre. Se alejaron sin darme la espalda. Tomé la sopa sin ningún gesto digno de mi parte. Como un animal hambriento. Quedé dormido escuchando el rumor de la nieve sobre las tejas de barro.

Estuve tres años allí. Mi maestro fue Avenarius, el doctor Avenarius. Pero una noche soñé contigo y volví a la calle. Nadie se interpuso en mi decisión. Salí a la calle y caminé hacia el río congelado. Cuando salí del trance estaba en la Duke Ellington Boulevard. Un poco desorientado, pero reconociendo que ya nunca volvería a ser el mismo. Esta ciudad ya no estaba en ninguna parte. Entonces me quito las gafas de mi máquina de visión y miro el contador de tiempo. Llevaba casi tres horas conectado y eso explica que sienta algunos síntomas del Síndrome de Elpenor. Uno reproduce, según he leído, el vértigo de caer como una gran escultura de Dios a manos de un iconoclasta. Hay una breve, aunque angustiosa, amnesia topográfica. Las coordenadas temporales se difuminan. Pero poco a poco regreso a mi habitación. La ropa en el suelo, el olor a incienso, los discos.

3

Quién soy yo no es importante. ¿Dónde ahora? ¿Cuándo ahora? ¿Quién ahora? Sin preguntármelo. Decir yo. Sin pensarlo. Llamar a esto preguntas, hipótesis. Ir adelante, llamar a esto ir, llamar a esto adelante. Puede que un día venga el primer paso, simplemente haya permanecido, donde, en vez de salir, según una vieja costumbre, pasar días y noches lo más lejos posible de casa, lo que no era lejos. Esto pudo empezar así. No me haré más preguntas. Se cree sólo descansar, para actuar mejor después, o sin prejuicio, y he aquí que en muy poco tiempo se encuentra uno en la imposibilidad de volver a hacer nada. Poco importa cómo se produjo eso. Eso, decir eso, sin saber qué. Quizás lo único que hice fue confirmar un viejo estado de cosas. Pero no hice nada. Parece que hablo, y no soy yo, que hablo de mí, y no es de mí.

EL INNOMBRABLE, Samuel Beckett

MI TRABAJO ACTUAL pretende serlo. Importante, digo. Estoy en medio de una historia de retazos, como es la realidad, a la que sólo tenemos acceso por medio de la óptica numérica. ¿Cuántos píxels hay en un punto de vista? Lo importante es que después de tanta peregrinación necesitaba trabajo. Me reconocía a mí mismo como un nómada, como un caminante perdido de una tribu de gente sin un sueldo del que vivir. Recogí latas de cadmio, llevé muestras de sangre de hospital en hospital, reparé máquinas de visión, laboré en un taller de hojalatería y pintura. Pero la transformación del mundo a final del siglo pasado abrió la posibilidad de que los departamentos de investigación de la policía fueran privatizados. Eso permitiría que las nuevas tecnologías y la mentalidad gerencial resolvieran los casos criminales con mayor rapidez y eficiencia. Eso fue lo que dijeron. Eso es lo que siguen repitiendo. Conseguí empleo. No era lo que buscaba, pero lo que buscaba era trabajo.

Anselmo Claris era mi supervisor. Un tipo culto, amargado pero tranquilo. Parecía disfrutar de su amargura por lo que supuse tendría una gran formación académica. Holmes Private Investigations. Ridículo. Pero, ¿qué cosa no es ridícula si se la mira sin apasionamientos? La oficina del Gerente Investigador era sobria pero elegante. Claris no es un hombre gris. No viste ropas oscuras y sólo en ocasiones especiales usa corbata. No tiene el rostro afilado como un hacha ni su piel está seca como una hoja de otoño. Quizás lo más sorprendente es su aire de inocencia. Sus ojos no son azules sino todo lo contrario. Al entrar en su despacho me comentó el titular del periódico que parpadeaba en el monitor: Fracasa Proyecto Orión. Mi primer día de trabajo consistía en mirar un monitor e introducir en el sistema operativo de un ordenador datos irrelevantes sobre tarjetas (sospechosos). Cerca de las cuatro de la tarde Claris me invitó a tomar café en la oficina de brainstorming que daba a la calle Brumbaugh. Allí disertó sobre el uso de las solanáceas alucinógenas en el Medio Oriente Antiguo y las levitaciones y proezas físicas ligadas al uso de éstas.

—¿Las has usado? —preguntó aspirando un cigarrillo a pesar de que estábamos en una oficina herméticamente cerrada.

—Claro —dije, encogiéndome de hombros—, ¿de qué otra forma iba a levitar y realizar proezas físicas con las que mantener una relación enfermiza con mi compañera?

Él sonrió de manera microscópica. Trataba de mostrarse frío. No sé por qué. Quizás era su forma de ser enigmático.

—En una semana viajas a la sede de la Agencia, a recibir entrenamiento —anunció estrechándome la mano.

No me molestaba irme otra vez. La gente que amé, quizás sin que lo notaran, se había marchado ya. Como dice la proposición XXI de Spinoza que repetía mi maestro: Quien imagina lo que ama afectado de alegría o tristeza también será afectado de alegría o tristeza, y ambos efectos serán mayores o menores en el amante, según sean en la cosa amada. Y como la cosa amada era inmensa opté por no imaginar.

El hecho parece ser, si en la situación en la que me encuentro se puede hablar de hechos, que no sólo voy a tener que hablar de cosas de las que no puedo hablar, sino también, lo que aún es más interesante, que yo ya no sé lo que no importa. Sin embargo, estoy obligado a hablar. No me callaré nunca. Nunca.

4

la fruta no puede oír ni escuchar...

Gonzalo Fernández de Oviedo

E L ENTRENAMIENTO, a grandes rasgos, breve pero intenso, consistió en diferentes métodos para recordar. Pero no es así de sencillo. Era recordar el tránsito de los pensamientos a través de los neurotransmisores de otro. El asunto es que observando el movimiento de los ojos de un interlocutor, las variaciones de su respiración (interpretada por el movimiento de sus fosas nasales), y una especie de semiótica de los músculos faciales, es posible leer el pensamiento. Cuando quisiéramos conectarnos directamente con la corteza cerebral de un sospechoso o de un testigo difícil, insertaríamos una cápsula transmisora del tamaño de una cabeza de alfiler en el torrente sanguíneo. A través de la bebida, en un beso, a la fuerza, introduciéndola en la oreja izquierda. Eso dependía de la creatividad de cada cual. Y de la paciencia. En esos casos, uno se colocaba dos simples electrodos en el área occipital y ahí se recibía la información que luego se vertía en un pequeño disco compacto. Algo primitivo, si se quiere.

Lo mío era leer, así que durante los tres meses de entrenamiento en el bosque de Düsseldorf no me sentí ajeno al placer. Pude leer cerca de medio centenar de rostros modelo preparados por la Agencia. De cada uno de ellos escribí (es un decir) recordatorios. Cincuenta y ocho mnemografías en sesenta días. El resto del entrenamiento consistía en aprender a distinguir cada caso recuperando los fragmentos grabados a través de tomografías computarizadas de nuestro cerebro. El margen de error era absurdamente escaso. Fuimos catorce reclutas al Centro de Entrenamiento Mnemotécnico. Sólo cinco tuvieron que quedarse en el área de Desintoxicación Onírica porque fallaron en recuperar todos los fragmentos de los recuerdos de modelos.

En esos tres meses que entrené para mi nuevo oficio pasaron muchas cosas. Específicamente, ese 22 de marzo en el que regresé no pasó nada espectacular. Pero con cada día que pasaba me fui percatando de las ausencias. Esa tarde vi llover, vi gente correr y no estabas tú. Era jueves, por eso llovía en el Área Metropolitana. Como todos los jueves desde que la Empresa de Aguas estableció el riego urgente para mantener estables los niveles de agua en los embalses. Los hidrolaboratorios mezclaban hidrógeno y oxígeno para fabricar monumentales aguaceros. Los sobrantes de agua fabricada se utilizaban para el hielo. A veces, sin embargo, alguien olvidaba cerrar las regaderas, o programaban mal la secuencia de chubascos y llovía a cántaros durante días. Los embalses se llenaban y vaciaban en un húmedo ciclo de varias formas de la sed y la carencia. Por esto conservo tres hermosos paraguas negros. Cada uno tiene su particular valor sentimental. Con uno caminé bajo la lluvia contigo, a través del bosque urbano. Con otro, no sé por qué, me ocurre una gran nostalgia en el hemisferio derecho del cerebro. Con el último recuerdo el día (raro domingo de lluvia) en el que te llevé a la estación del tren y vi cómo te alejabas, quizás para siempre. Lo recuerdo además porque ese día, doblando la esquina de la calle Ostos, tropecé con el cadáver de quien luego supe era Gonzalo Fernández. La humedad era espesa como un plato de cereal. Lo extraño era que al mirar los ojos del cadáver pude percibir un dulce olor a piña recién cortada. Y es que hay en esta isla unos cardos, que cada uno de ellos lleva una piña (o mejor diciendo una alcachofa), puesto que porque parece piña la llaman los cristianos piña sin serlo. Ésta es una de las más hermosas frutas que yo he visto en todo lo que del mundo he andado. Las calidades son: hermosura de vista, suavidad de olor, gusto de excelente sabor; así que de cinco sentidos corporales los tres que se pueden aplicar a las frutas y aún un cuarto que es el palpar, en excelencia participa de estas cuatro cosas o sentidos sobre todas las frutas o manjares del mundo, en que la diligencia de los hombres se ocupe en el ejercicio de la agricultura; y tiene otra excelencia muy grande, y es que sin algún enojo del agricultor se cría y sostiene. El quinto sentido, que es el oír, la fruta no puede oír ni escuchar; pero podrá el lector, en su lugar, atender con atención lo que de esta fruta escribo, y tenga por cierto que no me engaño, ni me alargo en lo que dijera de ella. Porque puesto que la fruta no puede tener los cuatro sentidos que le quise atribuir o significar debe entenderse que es ejercicio de la persona que la come, y no de la fruta, que no tiene alma, sino la vegetal y sensitiva, y le falta la racional. La vegetal es aquella con que crecen las plantas y todas las criaturas semejantes; la sensitiva es aquel sentimiento de beneficio o daño que recibe; así como regando o limpiando o excavando los árboles y las plantas, sienten el favor o regalo, y medran y crecen y olvidándolos o chamuscando o cortando se secan y pierden.

Mirando el hombre la hermosura de esta fruta, goza de ver la composición y adorno con que la naturaleza la pintó e hizo agradable a la vista para la recreación de tal sentido. Oliéndola goza el otro sentido de un olor mixto con membrillos y duraznos o melocotones y muy finos melones, y demás excelencias de todas esas frutas juntas y separadas, sin pesadumbre alguna. Y no solamente la mesa en que se pone sino mucha parte de la casa en que está, cuando está madura y en perfecta sazón, huele muy bien. Gustarla es una cosa tan apetitosa y suave que faltan palabras en este caso. Palparla no es, a la verdad, tan blanda ni tan doméstica, porque ella misma parece que quiere ser tomada con acatamiento de alguna toalla o pañizuelo, pero puesta en la mano, ninguna da tal contentamiento. Medidas todas estas cosas y particularidades, no hay ningún juicio mediano que deje de dar a estas piñas el principado de las frutas. No puede la pintura de mi pluma o las palabras dar la razón que satisfaga tan totalmente, sin el pincel o el dibujo, y aun así sería menester los colores.

El cadáver tenía puesta una pálida camisa azul que se pegaba a la piel por el agua. No había rastros de violencia en aquel bulto empapado, al menos a primera vista. Era un hombre de mediana edad. Un fallo cardíaco, fue lo primero que pensé. Pero no tenía la mueca de esa embarazosa situación. Se acercaron los curiosos y llamé a NecroRecovery desde mi unidad celular.

—Está muerto —dije, con ánimo de aclarar el asunto y desalentar a los curiosos.

—Eppur si muove —escuché decir.

No se movía. Era la lluvia, el viento, sus ojos semi-abiertos. Sofía Martini se haría cargo de la situación. Miré nuevamente el cuerpo de Gonzalo Fernández. Miré su rostro y no pude dejar de leerlo. Comencé a sentirme terriblemente angustiado. Alguien tocó mi hombro izquierdo. Era un extraño ente al que conocería más tarde como Johnny Walker. "Don't you ever look at a dead man face", dijo en tono paternal. Yo lloraba, quizás por la muerte, quizás por el olor a piña recién cortada, o por ti.

5

REGRESAR, EN ESTE CASO, no tenía ningún sentido de renovación. Para Claris, sin embargo, era tener un ayudante con la debida preparación. Le pregunté por el cadáver de la calle Ostos, con el que me había tropezado.

—Un biopirata de poca monta. Muerte natural —dijo Claris.

—Muerte natural —repetí, pensando en que la muerte no es natural.

—NecroRecovery encontró algunas monedas. Cuando revisamos su apartamento encontramos un juego de veinte o treinta pares de globos oculares. Ésa era su especialidad.

—No pude evitar mirarle a los ojos —confesé.

—Eso se cura con la práctica. No hay que leerlo todo —respondió Claris encendiendo un cigarrillo mientras abría la ventana.

—Por cierto, un hombre me dio un consejo parecido. Me parece haberlo visto antes —dije, en ánimo de
ser ilustrado.

—¿Cómo era?

—Negro, muy delgado, ojos claros. Un sombrero de
colores...

—Ni idea —contestó Claris mirando al vacío.

Un espeso silencio comenzó a poblar el lugar. Diez,
veinte segundos. Decidí romper el hielo.

—¿Qué ha pasado con el rescate de los nautas del
Proyecto Orión? —pregunté, aunque no me importaba mucho.

—Parece que no será necesario ayudarlos. Corri-
gieron la avería por la que estuvieron a punto de regresar. Un fallo en los sistemas que filtran el aire —explicó el gerente investigador.

—El problema de los astronautas es que no han
aprendido a dejar de respirar. Si no respiran no produ-
cen bióxido de carbono. Si no hay bióxido de carbono
no hay contaminación.

—Es una argumentación lógica pero descabellada.

—Tan descabellada como buscar agua en el espacio
durante más de una década —dije mientras preparaba
café.

El silencio volvió a apoderarse de aquello. Claris buscó
algo en su ordenador y pasó a darme instrucciones.

—Mañana tienes que mostrarle tarjeta amarilla a
dos sospechosos. Sólo eso. Trata de llegar temprano.

—Estaré aquí temprano —dije, y era cierto.

Traté de regresar a ese lugar que llamo casa. Vagué por las calles un largo rato hasta que, quizás por la costumbre, me encontré en la entrada. Reconocí la puerta y el balcón. Necesitaba escapar de la realidad un momento, escapar a otra realidad. Escapar en un sentido translaticio, no como lo habían intentado los físicos usando un destartalado Tevatron, el acelerador de partículas comprado al Fermi Lab. Antes de lograr el traslado de un individuo a otro espacio-tiempo una docena de voluntarios se convirtieron en desechos de carbono. Por eso prefiero escapar de otra forma. Y todo esto me causa mucha risa. Sobre todo si he tomado mis 20 gramos de fluoxetine hydrochloride. Porque aún no llego a la velocidad de escape. Y si lo lograra moriría destrozado por la presión. Es muy gracioso.

6

A VECES PIENSO QUE NO podría vivir sin mi máquina de visión, una Perceptron III Refurbished. Es
prácticamente una pieza de museo, pero funciona bien
para lo que la quiero. El casco de visualización es de los
mejores que salieron al mercado en su época. Los guantes de datos son cómodos como algodón y el traje de
fibra óptica es liviano y fresco como la seda. Uno recibe imágenes y se mueve. Los movimientos del cuerpo
se informatizan y se traducen en presencia dentro del
entorno virtual. Poco a poco uno aprende a sentir lo
mismo sin usarla. Cuando se accede al recuerdo, por
ejemplo, se tiene una información a mano. Y con la
información podemos experimentar, nunca poseerla.
Ademas, yo programé mi máquina para que me
ambientara las percepciones con unos fósiles sonoros
llamados boleros. Unos viejos dispensadores de para-
digmas que escucho para alegrarme. Es como recuperar
un mundo ausente a través de las orejas mientras vemos

otro mundo. Así es que puedo penetrar en unos relatos que llamo recuerdos, sobre los que navego sin demasiado control. El recuerdo siempre quiere ser libre. Es libre. Un sentimiento parecido ocurre con la Preceptron III. Pero con ella se evita el cansancio. No es que uno esté representado en el mundo virtual, es que uno está sustituido. Y viceversa. A fin de cuentas nuestras imágenes mentales residen en la relación del organismo con el calor y la claridad, el frío y la oscuridad. Somos esa relación. Somos relación. Cada una de esas cosas tiene sus colores. Uno tiene muchos relojes regados por la piel, relojes que ponen en evidencia las bases moleculares de la detección de la luz. Estamos llenos de pequeños espejos que dan la hora. La luz es tiempo, los colores son relojes, nosotros somos pequeños fragmentos unidos por un cuento que llaman cuerpo.

A veces pienso que no podría vivir sin ella.

7

Estoy inmerso en la máquina para soñar con ella. Pero se aparece, en Koyeremifa Inle, Iku convertido en sombra negra. Pienso entonces que en la luz la encontraré y no le hago caso al invisible. Como no lo miro a los ojos, Iku se coloca su sombrero negro con justicia y hace ademán de irse y como que se va. Entro en la casa. Olor de humedad y mata suelta. Olor a que alguien duerme en una habitación al fondo. Pero qué va. Sigo hasta una puerta que da al patio con una ceiba en el centro. Un enanito en zancos canta boleros, desenfrenado. No se los sabe completos y junta los de don Felo con los de Portillo de la Luz. En un respiro pregunto si sabe por qué estoy allí. Sin dejar de cantar aquel popurrí decadente me dice: "La puerta se cerró detrás de ti" y me señala con su piernecita derecha, como quien dice, por ahí está lo que andas buscando. Le doy la espalda y me alejo mientras alcanzo a escuchar que el pequeño cantante melosamente dice: "Mi dolor es mío, culpa no es de nadie".

Ahí, donde manda el bolero, está la gallina sobre la silla. Escucho a Elegguá que viene silbando. Le digo que a mí plin el camino de la sombra, que me preste la llave del aguacero brillante, que me diga el camino por donde baja el agua. Juro que estoy dormido para soñar con ella y el que abre caminos me señala un sendero, muerto de la risa como está, y le creo. Espero entonces un sol abrazado a una luna llena, que es más vieja y por eso la dejan salir de noche, un ancla alejándose de un salvavidas, siete remos alumbrando una estrella, un iruke suelto adornado con cuentas azules y blancas. Al final, en otra casa ligera, Ella, en una bata blanca y celeste.

Eléctrica y nerviosa, casi Yemayá habitando los colores del selenio. Moviéndose líquida la diosa me mira sobre el hombro. Ochún se asoma entre las piedras del río como un vapor azulado en medio de un verdor de neón, averiguando. Vestida y alborotada me danza, me habla en un lenguaje que tiene miel debajo de la lengua. Eléctrico y nervioso escucho, miro, toco el aire que tiene una densidad de algodón alrededor de mis guantes. Yemayá me hace mover como cuando se está en el mar hasta el pecho.

Pero qué va a ser. En la casa de los sueños hay tremendo olor a guiso de camarones con ajo, tomate, y alguna alcaparra en ánimo de dejar su opinión establecida. Hay agua de olas en las ventanas. Ella se asoma y me dice pero que no que no, que lo de ella es tejer mallas y cestos para los pescadores, pero que no que no, que lo de ella es vivir en las hélices de los barcos, pero que no que no, risueña. Me lo dice con un sonsonete de seda, me lo dice con una cadenita de voces encaracoladas. Despierto del hambre.

Abrir los ojos no es gran cosa. Quitarse las gafas. En los ojos ya no hay abanicos de sándalo, ni pececitos de colores en la niña. En los ojos de la vigilia no hay espejos, ni sábanas azules, ni un paño bordado. Abrir los ojos es quedarse sin herramientas, sin atributos, sin collares. Por eso me fui al mar. Cerré los ojos, apartando con la puntita de la nariz el sueño. Y allí estaba. Lejana pero risueña. Feliz. Iku me tocó el hombro y me dijo: "No te creas". Pero como es invisible, qué caso le iba yo a hacer. No le hice caso. No le hago caso, aunque suba la marea, ella, risueña.

Ocurre que es la alta noche pero no puedo dormir. Decido salir a tomarme algo y conversar. Camino por Urbania y veo, en una esquina, al hombre que me habló cuando tropecé con el cadáver en la calle Ostos. Me acerco y me extiende la mano.

—Johnny, you can call me Johnny Walker —dice desde sus ojos amarillos.

—¿Hey Johnny, has someone told you that you look like Iku, from Koyeremifa Inle?

—Who the hell is Mr. Iku? Alaroye Ku Se Baba. Ku la Olu Ifa O. —contestó entre una carcajada y otra. Se despidió con un guiño y se alejó en un taxi mientras me gritaba ecua jei. A lo lejos creí escuchar un violín.

8

L A BARRA DE LEM ES el lugar en el que las cosas se
aclaran. O mejor, es el lugar en el que puedo volver a mis tiempos del monasterio sin sentir ninguna
extrañeza. Allí está la gente más interesante del territorio. Allí conocí a La Búlgara. Tiene, o tenía, ojos de
ciervo herido que busca en el monte amparo. Pero no
es verdad. Es fuerte. Tierna. No me aclara ninguna
duda pero me mira y se ríe de mis pendejadas. La
Búlgara aprendió español en Portugal, y es una delicia
escucharla decir frases mientras prepara algo de la vili-
pendiada cocina de Europa del Este, ahora sin fronteras. Una vez preparó el salchichón real con carne de
perdiz cruda, carne de pularda, cruda también, un poco
de jamón, un poco de pierna de ternera, condimentado
con hierbas finas, una cabeza de ajo, sal y pimienta, dos
huevos enteros, tres o cuatro yemas y un chorrito de
crema de leche. Enrollas esta farsa en trozos gruesos,
según la cantidad que obtienes, cortas lonchas bien del-

gadas de rodajas de ternera y las aplastas sobre la mesa. Cubres con esto la farsa, que tendrá al menos el grosor de un brazo y una longitud razonable. Una vez preparado necesitas una cacerola oval, con muchas lonchas de tocino en el fondo, sobre la que colocas los salchichones. Cierras bien la cacerola. Los cueces a la brasa, cuidando que el fuego no sea demasiado fuerte. Debe cocer unas ocho o diez horas. Una vez cocidos, los quitas del fuego y los dejas enfriar en la misma cacerola y, cuando estén a punto de servir, quitas la grasa limpiamente con la mano y sacas los salchichones, con cuidado de no romperlos. Quitas toda la carne que hay alrededor y todo el resto de la grasa. Luego, con un cuchillo que corte bien, lo cortas en finas lonchas que vas a colocar limpiamente sobre la bandeja.

Lo sirves frío.

En la Barra de Lem pregunto por La Búlgara. Hace tiempo que no la veo, dice Lem. Pasamos a charlar sobre cualquier cosa. Como todos, terminamos hablando del agua.

—En Estambul se vende agua de nieve muy barata por las calles, en verano —dice Lem.

—Habría que hacer lo mismo aquí —dije, saboreando mi cerveza helada. En el último mes habían robado y asesinado a siete aguadores. Uno de ellos, que utilizaba bellas vasijas de barro de colores, fue golpeado con una de ellas, derramando todo el líquido viciosamente, mezclándose con la sangre que manaba de su cabeza herida. Otro usaba el método de equilibrar dos cubos colgados de los extremos de una pértiga, con la que fue apaleado. Pero ¿a quién le importa la suerte de la gente que malvive? Pasaron a ser simples estadísticas. El gurú interrumpe amable mi silencio.

—Ya nadie siente respeto por ella. El agua tiene virtudes según su origen. Los chinos usan botellas de cristal para el agua de lluvia de tormenta. Provee vigor. El agua de lluvia caída a comienzos de la primavera es perfecta para calmar los nervios. El agua del deshielo del granizo o de la escarcha invernal se usa para prevenir infecciones. El agua recogida en las cavernas con estalactitas es la suprema medicina, y así... Hay vendedores de agua hirviendo por las calles —me contaba Lem mientras pasaba un paño verde sobre el mostrador. Sus relatos, enmarcados en una sonrisa perenne eran calmantes.

—Conocí a un turco que podía reconocer el sabor de diferentes manantiales —continuó.

—Conocí un alcohólico que podía distinguir el país de origen de diferentes rones, y hasta la fecha de destilación —dije.

—Es posible —contestó, con una paz contagiosa.

Lem siempre viste una bata anaranjada. Su cabeza rapada le da un aire misterioso. Recita de memoria palabras de Krishna en el *Mahabharata*. Pero a veces me sorprendía con el conocimiento de otras culturas y tradiciones. Una vez le hablé del peligro de mi nuevo trabajo (agente investigador) y me respondió con una frase lapidaria.

—De donde nace el peligro nace la salvación también —me dijo, sirviéndome una cerveza.

—¿Krishna? —pregunté.

—Hölderlin.

Le comenté sobre un cierto malestar que sentía con mi labor. Demasiado mecánico mi trabajo.

—Creo que nunca podré ser un buen Agente Investigador —dije.

—Me parece bien. Pero creo que eres buen investigador, aunque tengas que buscar cosas equivocadas —dijo.

—Hay algo metálico en la forma de manejar las cosas. El Gerente es como un hombre de hierro, frío —abundé.

—El hierro no puede emitir energía y sostener una estrella, así que no es gran cosa —dijo Lem.

—Tengo que decirte algo. A veces no entiendo un carajo de lo que dices, pero al menos lo que dices me tranquiliza.

—Bueno, ésa es la leyenda de los bartenders... tienen grandes orejas para escuchar y frases densas para regalar —dijo, mientras abría una lata de maní.

Pienso. La gente aparece en nuestras vidas. Y desaparece. Como si toda la sabiduría del mundo estuviera resumida en antiguas canciones. En esas canciones donde la gente se va y no regresa. Fósiles sonoros en los que la puerta se cerró detrás de ti y tú jamás volviste a aparecer.

9

*Si de un cuerpo o individuo compuesto
de varios cuerpos se separan ciertos
cuerpos, y a la vez otros tantos de la
misma naturaleza ocupan el lugar de
aquéllos, ese individuo conservará
su naturaleza tal y como era antes, sin
cambio alguno en su forma.*

ÉTICA, Spinoza

NO SABÍA POR QUÉ. No se pregunta. Sólo debía
seguir instrucciones. En eso estuve todo el día.
Repetimos el libreto una y otra vez. Entregar las tarjetas. Claris me mostró cientos de imágenes de la
pareja. Porque era una pareja. Estaban alambrados.
Podíamos escuchar sus voces a millas de distancia.
Pero me habían ordenado que fuera hasta allí y les
entregara la tarjeta amarilla. Es decir, entregarles el
aviso de que estaban siendo investigados, insertar en
ellos la paranoia certificada. Sólo tenía que llegar

hasta allí y mencionar sus nombres, entregarles la tarjeta y ya.

Llegué a Eisenstein, una videobarra que frecuentaban. Pedí una cerveza. Sentí cosquillas en la nuca y eran sus miradas. Me sonrieron, los saludé con un gesto sencillo y me acerqué.

—Hola, jóvenes —les dije, buscando las tarjetas en mi chaqueta.

—Espera un momento que tenemos algo que decirte —pidió ella, cuyo nombre era Windows. Sonreía y era hermosa como una dalia—. Sabemos lo que vas a hacer.

—Sólo cumplo con mi mediocre trabajo. Les entrego algo que imagino que están esperando y me retiro. Es sólo una cuestión burocrática —dije, y no pude evitar el cinismo ante la mirada de la muchacha—. Quizás podemos ser amigos.

—¿Eso lo aprendiste solito o en los bosques de Düsseldorf? —dijo ella, sorbiendo un poco de refresco de cola.

Frederick, así se llamaba él, miraba al vacío. A veces sus ojos se dirigían a las pantallas de televisión, a las botellas, pero nunca nos miraba a los ojos. Al menos a mí. Traté de excusarme.

—Necesito trabajo, eso es todo. No me interesa lo que hacen ustedes con sus vidas. No puedo ni quiero arrestarlos. Tomen sus tarjetas, sigan disfrutando los vídeos y eso es todo —dije, tratando de ser rudo.

—A nosotros nos van a desactivar, pero Fred quiere decirte algo —dijo ella, con un velo de nostalgia.

Frederick había levantado la vista, el rostro iluminado. Tomó mi mano y la estrechó. Ahora me miraba y sentí que mi ojo derecho comenzaba a temblar.

—Der Wille zum Schein, zur Illusion, zur Tauschung, zum Werden, zum Wechslen (zur objektiven Tauschung) gilt hier als tiefer, ursprunglicher, metaphysischer als der Wille zur Wahrheit, zur Wirklichkeit, zum Sein-letzterer ist selbst bloss eine Form des Willens zur Illusion —recitó.

Quedé aturdido por el discurso. Sentí vértigo y una ligera distorsión visual. Por un instante Frederick cambio de rostro (un enorme bigote le cubría la mitad del rostro, una mirada de alucinado lo poseyó). Cerré los ojos en busca de estabilidad. Al abrirlos sentí un golpe, con la mano abierta, sobre mi oreja izquierda.

Cuando desperté estaba en una habitación desconocida. Windows, sonriendo, tenía su mano sobre mi frente.

—¿Dónde está ese cabrón germanófono? —dije, más confundido que molesto.

—Se fue, desapareció. Es como la información, nunca está quieta. ¿Te duele la oreja?

—No, me duele mi orgullo —contesté.

Poco a poco fui recuperando mis sentidos y observé la habitación. No pude soportar aquel silencio, aquella tranquilidad. Rompí el hielo.

—¿Qué hacen ustedes?

—Nada, ése es el peligro —contestó, mientras abría una ventana de cristal que dejaba entrar una luz perfecta.

—Escucha, no tengo información sobre ti o sobre Frederick más allá de sus nombres. Pero si se entregan van a tener opotunidad de negociar algo, un juicio justo, o un pago cómodo —dije, sin convicción.

—Tú no crees eso. Entregarnos a una agencia de investigación. ¿A quién responde?, ¿quién nos busca? ¿Por qué? Mi delito es usar espejos como fuente de conocimiento, leer, en papel, un tratado sobre la representación gráfica religiosa en los siglos XIII y XIV. Apoyar con un manifiesto las huelgas en las minas de helio e hidrógeno. ¿Qué van a juzgar?

Miré a mi alrededor. En el marco de la puerta había colocados una suerte de escritos sobre trozos de pergamino. Ella llevaba puestos pendientes de plata con inscripciones.

—Lindos pendientes.

—Gracias. Sabía que te gustarían —dijo ella, sin mirarme.

—¿Te conozco, te he visto antes, en algún otro sitio?

—¿Me conocerás después? —preguntó con ternura y luego guardó silencio entre sus labios, cofre hermoso, por cierto—. Te voy a mostrar otras cosas.

—Me gusta mirarte —dije.

—Mira lo que quieras, siempre que no mires con el ojo de un cíclope satisfecho —respondió Windows.

Me trajo una pequeña caja azul con un texto breve en el exterior. Adentro había un espejo con otro texto, más extenso. Pregunté qué decía allí. Me contestó que era una laguna de información. Que sólo podía leerse en caso de agudeza sensorial, como sucede en el ayuno prolongado. Noté que llevaba un saquito colgando del cuello al pecho. Mirando sus pechos comencé a sentirme en un estado de agudeza sensorial. Me mostró el pequeño bolso.

—Son caracteres chinos, para protegerme de los malos sueños —dijo, riendo.

—Por supuesto que estarán escritos con sangre, con tinta sangre del corazón.

—Quiero entregártelo. Deja de buscar reliquias de santos, piedras del rayo, dientes de lobo en océanos eléctricos. No tengo nada de eso. Este amuleto es un documento que debes leer.

—Windows, ¿por qué yo? No sé leer ideogramas, estoy acostumbrado a la simple escritura digitalizada —confesé.

—Claro que sabes —me dijo—. Además esto tiene una eficacia ilimitada en el tiempo, puedes leerlo con una calma de siglos. El contenido es constante, una plegaria, una exhortación. Eso es igual en cualquier lengua.

—¿De qué lado de la lectura estamos?

Recordé, o creí recordar, mirándola a los ojos, la última vez que estuve en la zona del Himalaya, con sus muros escarpados de piedras escritas que me obligaban a caminar siempre a la derecha. Y las piedras pintadas de negro y rojo que traté de leer con detenimiento en un cuarto del Hanoi Hilton, enmarcadas en láminas de bambú.

—¿Estuviste en Hanoi? —preguntó.

—Bueno... a través de tus ojos —contesté.

—Sac linh khoi sat qu.

Entendí perfectamente sus palabras pero las mismas me causaron terror. No podía demostrarle mi certeza. Pero a la vez estaba completamente seguro de que las había pronunciado con un propósito ulterior. Su voz era dulce como un secreto. Me sentía atado a ella, su voz era como una ruta de seda, su mirada luz de luna. Y como se sabe, toda luz desencadena una barbarie. Siguió mostrándome cajitas, sobre todo una de plata, como las que hacen en Nepal.

—Esta caja tiene una receta —dijo.

—Pedacitos de ruda, un trozo de herradura de caballo, una punta de estrella de mar, trece granos de trigo, un minúsculo reloj detenido —dije, asombrándome de mi forma de entender.

—Para no saber leer lees bastante bien —dijo ella, despeinándome.

—Es la práctica.

—La caja tiene un saquito de terciopelo rojo, pero no sé ahora dónde está. Tómala y guárdala bien.

—¿Windows, por qué me entregas algo que puede ser tan valioso?

—Por eso.

Entonces estoy al otro lado de la escritura. Guardé la cajita en mi chaqueta. Escuché un sonido eléctrico. La puerta de la habitación se abrió con violencia y Frederick sólo alcanzó a gritar ¡Fly! Windows, literalmente, saltó como una gacela, se asomó a la ventana y dos segundos más tarde se lanzó por aquel túnel de luz, que se cerró de inmediato. La sorpresa me congeló. Noté que Frederick se había sentado frente a la puerta. Justo cuando iba a preguntar qué sucedía, una fina luz roja atravesó el cráneo del muchacho. Claris y otros dos agentes irrumpieron en la habitación. Varias gotas aceitosas mancharon el suelo. Por alguna razón me acerqué y coloqué mi dedo índice en el pequeño orificio en la cabeza del hombre a quien no sé cuánto tiempo antes había tratado de entregar una tarjeta amarilla. ¿Horas? ¿Días?

—¿Estás bien? —preguntó Claris.

—Llama a NecroRecovery —alcancé a decir.

—Está desactivado —contestó.

Le arrebaté el celular pero no recordé los números. Los otros agentes rebuscaban en toda la habitación. Tiraban todo al suelo.

—Me usaron de señuelo —dije.

Claris se acercó y me agarró fuertemente por el cuello de la camisa.

—Te salvamos la vida. ¿Estás loco?

—Me usaron de carnada —insistí.

—No hay peces aquí, sólo un poco de información. Estás nervioso. Tienes que descansar —dijo Claris, más calmado.

Mentía. Alcancé a ver dos peces brillantes en una pequeña pecera donde antes había una ventana.

Estaba absorto. Les pedí que me dejaran en la estación del Tren Urbano. Allí tomaría la máquina hacia ningún lugar. La máquina patinaba cuando salió de San Juan. Las imágenes de lo sucedido quedaron grabadas, no porque estuviese entrenado para eso, sino porque algo sensorial, algo de alma había sucedido. Aquellas gotas de aceite derramadas por Frederick me deprimieron. No era sangre, estaba claro. Pero algo había muerto. Era como una metáfora de aquello en lo que nosotros nos estábamos convirtiendo. Peor, una imagen de lo que ya somos. Nosotros precisábamos de eliminar modelos que considerabamos aberraciones. Pero el método, el modelo de nuestras referencias era igualmente aberrado. Ver aquel orificio en el cráneo de un cyborg, con frialdad y sin sentimientos de culpa, era asumir el ojo esencializador. Claris podía hacerlo. Calibán y Sycorex, los agentes que participaron en la toma de la casa de seguridad en la que me encontraba, también. Pero yo, aun con el entrenamiento recibido, sentí asco. Frederick estaba vivo, en cierto sentido. La idea de que Windows también fuera un cyborg me causaba vértigo. La idea de mí mismo comenzaba a convertirse en un dilema. A fin de cuentas, todos somos criaturas de extraños límites. Pero ella era alguien (¿algo?) que no desearía dejar escapar de mi vida. No pude dejar de sonreír cuando pensé en la pretensión de que mi vida era mía. Por supuesto, terminé mirando las estrellas mientras caminaba a la barra de Lem. Tropecé en par de ocasiones. El bartender más sabio de la historia de la humanidad me recibió en su lugar desierto.

—Vienes mirando las estrellas —me dijo.

—¿Cómo lo sabes?

—El brillo de los ojos y el ruido que llevas untado a la piel. Es como una estática —contestó, moviendo sus ojos hacia la izquierda, el lado creativo del cerebro.

—Son hermosas tus mentiras —bromeé—. Pero también tus verdades. Sí, venía mirando al cielo, como un tonto. A ver si veo alguna lucecita que me alivie.

—Quizás no es el sitio más indicado. ¿Por qué tiene el alivio que estar rodeado de luz? La historia y las profecías han demostrado que el brillo no siempre es amable —dijo, mientras me servía un poco de viña, esa deliciosa bebida de piña fermentada.

—Hiroshima, por ejemplo, en el siglo pasado —dije.

Lem asintió. Escogió alguna música ligera y se sirvió un poco de vodka, sin hielo, en una copa azul.

—El brillo de un millón de soles estallando de pronto en el cielo. Así sería el Esplendor del Omnipotente. Me he convertido en la Muerte, el destructor del Universo —recitó Lem—. Son palabras de Krishna —dijo.

—A veces uno ve un resplandor donde nadie más lo ve —dije, con mucho de nostalgia.

—Creo que hoy tuve la oportunidad de sentirme vivo y la perdí, pero no me hagas caso.

—La vida te da todas las oportunidades para quitártelas después —dijo.

—¿El *Mahabharata?* —pregunté.

—No, Edith Piaf.

—¿Quién es?

—La estás escuchando ahora —contestó.

Lem cerró los ojos, para escuchar mejor. La interpretación me pareció magistral. Una pena que mi conocimiento de la cultura popular del siglo pasado fuese tan pobre. El bartender disfrutó la canción y al terminar me mostró su vaso.

—No es vodka, es agua —dijo.

Estuve largo rato allí. En algún momento recibí un mensaje de Claris que pude escuchar en mi celular. Me regalaba descanso, tres días, para recuperar fuerzas y estabilidad emocional. Ya aprendería... Aprendería, decía el mensaje. Poco a poco recuperé la noción del espacio y el tiempo, las coordenadas necesarias para caminar hasta mi apartamento. Me despedí del maestro (así le llamaba). Caminé pensando en que los minerales, la tierra, el aire, el fuego y el agua viven sin exigencias. Pensé que cualquier animal es convincente cuando demuestra su inocencia. Claro, porque están desprovistos de intenciones. Me preocupaba por la felicidad, y esa preocupación, esa voluntad, me parecía una vulgaridad. Por eso no la encontraba y seguía buscando fantasmas. Querer hallar algo es exigir demasiado de la vida. Llegar a esa conclusión, justo al llegar a la entrada del edificio en el que vivía, fue como un destello de calor en el pecho. "No jodas", dije para mí, "trabajo buscando fantasmas". Sí, ésa era mi vida y ahora, para colmo, era mi oficio.

Me acomodé en mi sillón ergonómico favorito (el único) y me conecté a mi máquina de visión. Comenzaron a aparecer los usuales señuelos de flama, publicaciones intencionalmente inflamatorias para despertar reacciones. Pero no estaba yo para esas conflagraciones verbales. Quería usar alguno de mis *frameprograms.* Se trata de cadenas de cuadros cinéticos con posibilidades infinitas, de acuerdo a los movimientos del cuerpo del usuario, y la interacción entre el calor de la piel y los sensores del equipo. Con ellos asistí a la caída del Muro de Berlín, a la Plaza de Tiananmen, a la toma de Wall Street. Con ellos pude trabajar un rato en un jardín lleno de guisantes junto a un monje del monasterio de Brno. Con ellos pude seguir aprendiendo y desaprendiendo del Doctor Avenarius. "Los lentes de Spinoza", ése era el relato en el que pretendía entrar ahora para escapar de esta otra realidad, la de buscador de evidencias.

IO

LAS PASIONES SON LÍNEAS, superficies y cuerpos, le dice Baruch a su amigo. Los celos son un desorden geométrico, la cruel distancia entre la genitalia y la imaginación. Por eso el crudo tacto es mejor desconocerlo, dice el pulidor de cristales.

—Vives en un enorme palacio de ideas, pero tu corazón, Baruch, es una frágil casucha de naipes —dice el joven con cara de mujer que acompaña a Spinoza.

—No es una buena metáfora —responde el fabricante de lentes, secamente.

Jarig es su amigo desde que vivían en el gueto de Amsterdan. Juntos habían escapado de la persecución de Isaac Orobio de Castro, médico y cazador de herejes, que tenía la peregrina idea de que era posible recuperar fieles con una simple incisión en el área occipital precedida de algunas oraciones. Centro de las geniales comedias de Lorenzo Escudero, el cazador logró persuadir a las autoridades de la necesidad de apresar al comediante, mago y pecador. Lorenzo hizo reír a los guardias, a los carceleros, a los jueces y a los acusados que esperaban su turno. Algunos torturados también rieron. Pero el pétreo Isaac Orobio de Castro no. Interrogado por las fuerzas del orden, el cómico jamás mencionó los nombres de sus amigos Jarig o Baruch, pero de todos era conocido que se reunían a charlar y filosofar en casas ajenas. Compañía sospechosa, habría dicho el cazador de herejes. Los alaridos de Lorenzo durante el interrogatorio fueron suficientes para que un carcelero anónimo avisara a los amigos. Aquella misma madrugada, con la certeza de que serían los próximos en ser atrapados por la justicia de Dios, Baruch, cargando algunos papeles y alguna que otra herramienta, cruzó a pie la frontera. Jarig, con cara de efebo, había conseguido un buen caballo, con el que llegó hasta su conocida Lisboa. Habían acordado encontrarse en las afueras de la Universidad de Coímbra.

Ahora, si es que acaso ése es el modo de llamar el tiempo aquí, si es que aquí es la forma de nombrar este lugar, fabrica lentes ópticos. Lentes con el dominio posible de las matemáticas, la alquimia avanzada y la Palabra de Dios. Baruch mira al horizonte. Trata de no ver a Camille. La hija de su profesor de números y cálculos prefiere a otro. A escondidas, en el taller de cristales, Baruch logra, entre otras maravillas, un lente a través del cual toda doncella que se mira tiene el rostro de la amada. De ahí surge la frase "en este mundo traidor nada es verdad ni mentira, todo es según el color del cristal con que se mira, pero si lleno de agrios enojos por tal blasfemia, Dios, mis lindos ojos arrancase, aun así, a través de esta lente, mi mundo se alumbraría con tu luz". No sabe el brillante Baruch que Jarig escucha su lamento y cuando fuere poeta inmortalizaría aquellas frases.

—Llevas el alma untada de Camille. No lo niegues —interrumpe el amigo, con el atrevimiento que da la confianza.

—El alma se esfuerza por imaginar aquello que excluye la existencia de las cosas que disminuyen o reprimen la potencia de obrar del cuerpo, o sea, se esfuerza por imaginar aquello que excluye la existencia de las cosas que odia, y, por tanto, la imagen de una cosa que excluye la existencia de aquello que el alma odia favorece ese esfuerzo del alma, o sea, afecta el alma de alegría —responde Baruch, tratando de sonreír.

—¿La odias? —interroga Jarig.

—Ella es como la guerra... no me incita ni a la alegría ni al llanto —dice, a punto de llorar el pulidor.

—Afuera el rostro parece la casa del hielo, pero adentro sé, porque te conozco, que hay un horno —continúa Jarig, gesticulando con sus manos.

—Y mi palabra es un pan. Mi dolor es mío, culpa no es de nadie. Deja de hablar como un personaje de Shakespeare y ayúdame con este cristal, Jarig —dice Baruch, lanzando a su amigo un paño que utiliza para limpiar las mesas.

Dicho esto, Baruch se retira de su mesa de trabajo y comienza a tocar las cuerdas de una vieja lira. El amigo se sienta en el suelo y escucha los sonidos y los números que intercala, en voz alta, el filósofo óptico.

—¿Qué haces? —pregunta Jarig.

—Busco la armonía.

—¿En los números?

—No... midiendo la longitud en las cuerdas de la lira, en esas proporciones numéricas. Todo es eso, amigo. El camino hasta Dios está hecho de 10 números y 22 letras —dice Baruch.

—Creí que hablabas de otra cosa —dice Jarig, mientras abre una botella de vino.

—Esa otra armonía sólo existe en la mente. Creo —responde el otro, tomando un gran trago de la bebida que le ofrece su amigo.

—¿Sabes o crees?

—Conozco para creer, creo para conocer —diserta Baruch.

—Bebes para olvidar —culmina Jarig.

II

SUCEDIÓ EL PRIMER DÍA de mi ausencia de la Agencia. Entró sigilosa como el humo del cigarrillo Alexandra Dosdías. Traje negro. Anselmo Claris fumaba. Miraba en su monitor, en grandes letras verdes: Fracasa Proyecto Orión. Ella entró en silencio, como un espíritu.

—Lo necesito —me cuentan que dijo ella, sin conocer quizás las amplias posibilidades de esa frase de fresa.

Claris la miraba absorto. Hacía meses que no escuchaba una frase parecida desde los labios de una mujer que no fuese Sofía Martini. El cigarrillo del detective se lanzó al piso en cámara lenta despidiendo un ligero chispazo rojo al tocar el suelo, como una palabrita de fuego. Ahí estaba el Gerente Investigador, cazador, contemplando su propio miedo personificado en esa mujer a la que todavía no le sabía el nombre. Sycorex me contó que no era una rubia de ojos azules, excéntrica hasta la locura, sino al revés. Más tarde comenté que si

Claris fuese uno de los cronistas que seguía las campañas de Alejandro Magno podría afirmar que se trataba de una de las últimas reinas del Amazonas y que su cabello remedaba una bandera guerrera cuando la brisa a orillas del río Boristheme la acariciaba. Pero me miraron aburridos. Me sugirieron que dejara de usar mi máquina de visión.

El asunto era, según Calibán, que la mujer, después de decir su nombre, solicitó seguridad para una fiesta en la que estaría el Administrador. Claris no la miraba directamente. Parecía un animal acorralado. Es decir, en mi ausencia, la Agencia de investigación criminal para la cual trabajo se habría dedicado a vigilar el orden en una fiesta privada, si bien es cierto que con la presencia del Administrador, ese burócrata cuya única función era ser árbitro entre un aparato administrativo que seguía llamándose estado y el capital privado. Mi sorpresa era mayor por la disposición de Sycorex y Calibán a charlar conmigo luego de una ausencia de tres días. Sorpresa también el que Claris, extrañamente simpático, participaba en cierto modo de la conversación con risas nerviosas. Pero me tenían guardada una sorpresa. Sabían que no acostumbro buscar información de ciberdiarios. Generalmente no sé lo que ocurre en la Zona Metropolitana. Lo realmente espantoso del asunto que me relataban, y que me mostrarían minutos después en imágenes del ciberperiódico de mayor venta, es que, a pesar de la vigilancia, el cuerpo del personaje principal de la fiesta apareció en la cocina, crudo, pero aderezado como si fuera parte de la gran cena. El cadáver estaba rodeado de pasta, *spaghetti ai frutti di mare*. Todas las Agencias de Orden, incluyendo la nuestra, estaban investigando. La nuestra, por supuesto, señalada por el descrédito, pues allí estuvieron tres investigadores, incluyendo a Claris, y no pudieron evitar el absurdo crimen. No podía creerlo. Tenía que ser una broma de mal gusto. Pero estaba allí. De hecho, estaba en todos los televisores de la gente. Muerte en la mansión Dosdías. Era la noticia del momento. Por el momento.

12

LAVATE CON CURA I gamberetti, fateli lessare in acqua salata poi sgusciateli. Mettete in una padella i frutti di mare ben lavati e fateli aprire al calore del fuoco con l'aggiunta di un cucchiaio d'olio. Quando le valve si saranno aperte, estraete i molluschi e poneteli in un piatto. Tritate i spicchi d'aglio e fateli dorare nell'olio unite i pomodori pelati e privati dei semi, il prezzemolo tritato, un pizzico di sale e di pepe. Condite con questo sugo gli spaghetti che avrete precedentemente fatto lessare; unite quindi i gamberetti e molluschi.

13

EN LA PURA MADRUGADA, insomne, insatisfecho con "Los lentes de Spinoza", preparé un té de manzanilla. El programa estaba dañado, o mi Preceptron estaba defectuosa. Quizás un virus. Había cierta estática y alguna interferencia. Lo que me molestaba no era eso, era, de nuevo, pensar en que mi empleo era repulsivo. No hay duda, es un trabajo deprimente. Investigar desviaciones de conducta. Husmear en la vida de seres que ni sé lo que son. Una estrecha y morbosa especialidad. No podía dormir ese 22 de abril, oficialmente el primer día de mis vacaciones. Viajé en la red para tratar de vencer la tormenta del insomnio. Encontré un enorme vertedero de informacion. Busqué en la palabra *trabajo*. Aparece, por azar, un dinosaurio: un manual de economía política de Lapidus y Ostrovitianov, economistas de un país que ya no existe. Leí para matar el tiempo.

Es como caminar por las calles de Leningrado en el 1929. Centenares de millares de hombres pueblan las grandes metrópolis y cada uno de ellos tiene sus ocupaciones: millares de obreros metalúrgicos se pasan toda la vida en el torno o en el banco de trabajo, al lado de las máquinas. Muchos de ellos nunca fueron al campo y no saben ni cómo labrar la tierra ni cómo segar. Ocurre lo mismo con millares de otros trabajadores: sastres, albañiles, carpinteros, panaderos, choferes. ¿Cómo puede cada uno, trabajando en su estrecha especialidad, no morirse de hambre o frío?

Levanté mi vista al techo. Pensé en mi ocupación. Miré a mi alrededor. Aquí estamos, al lado de las máquinas, a veces sin saber que lo que está al lado, lo que está de frente es, en resumen, una máquina. ¿Quién que es no es una?

Volví a mis gafas de visualización. En las lejanas tierras del norte donde viven los samoyedas y otros pueblos primitivos, la economía es aún más sencilla. Las manadas de renos que andan errando por aquellas tierras desérticas y las focas que los hombres van a cazar en el mar constituyen toda la base de la economía: el reno y la foca le proporcionan al samoyeda la carne y la grasa para su alimento; la piel del reno le proporciona la materia para su vestimenta y su tienda. Muy distinto es el espectáculo de la gran ciudad moderna. Un cuerpo humano preparado para el horno.

Levanté mi vista y me imaginé samoyeda, errando por un desierto, recordando cuando eras la base de mi economía, cuando eras la carne de mi hambre de estar

vivo, tu piel era mi vestimenta, tus brazos mi tienda.
Y asi fui quedándome dormido. En el fino hilo que
separa la vigilia del sueño creí distinguir una suerte de
roja fuente luminosa. El recuerdo de Windows, supuse, de la misma forma que las galaxias son más rojas
cuanto más lejos están. Recordé mis tiempos del
monasterio en el Hudson, el Dr. Avenarius, y me repetí: "Piensa en azul y duerme". Así fue.

14

AL SEGUNDO DÍA de mi regreso al trabajo entrevisté (no se mencionó la palabra interrogatorio) a uno de los invitados a la fiesta. Claris me propuso hablar con él de manera informal y, mientras tanto, leer sus pensamientos y tratar de que, en el trance, regalara alguna información inconsciente. No protesté. A fin de cuentas no había violencia envuelta. Para mi sorpresa era Willie Krisko. Le decíamos Manteca y era el compañero de La Tigra Volatrice. La Tigra era bailarina en Liberia, un club nocturno en el que, además, se servía excelente comida. Manteca era el ayudante de cocina de La Búlgara hasta que montó su propio negocio. Siempre sospeché que entre él y La Búlgara había algo, pero eso no era de mi incumbencia. Ella era mi amiga y a él apenas lo conocía. Resultaba ahora que su grupo, Apicio Cuisine, había dirigido las artes culinarias de la fiesta en la Mansión Dosdías. En estos tiempos no se pasa hambre, pero hay cosas que no se pueden conseguir, a menos que se frecuente el mercado negro. Por eso la gente de cocina es tan apreciada. Por ello escribir sobre cocina es la gran ficción.

Lo saludé y pareció reconocerme. Me tomó confianza y le dije que quien lo interrogaría sería el agente Sycorex. Le mentí diciendo que lo había visto llegar y que había aprovechado un instante para entrar a la sala de espera y saludarlo. Lo llevé a la pequeña cafetería para mayor privacidad y comenzamos a hablar del tiempo y del centro nocturno, ya cerrado. De pronto comenzó a temblar mi ojo izquierdo y pude empezar a leer:

La cocina, la gran cocina de Dosdías se halla iluminada. Fulgor de carbones, madera de cedro. Unas sesenta gallinas son desplumadas de manera eficiente. La cocina parece una fábrica. Una serie de cortinas y luces de colores dividen los lugares de sofreír del lugar de hornear. El sitio de empanar se halla separado por una cortina negra y una luz amarilla del lugar en el que se preparan las salsas. Una mujer inmensa, de las islas, lleva dos gallinas moribundas debajo de sus sobacos de leyenda. ¿Por qué ahora la palabra cebollín? Un señor muy gordo, sin camisa, mueve un caldo mientras suda torrencialmente y sacude sus dedos sobre el caldero. Una mujer musculosa arroja carbón a un inmenso horno. Se escucha a un castrato cantando mientras un violín se aleja. Una dama vestida de luto llora con un pañuelo rosa en una mano y echa lágrimas en una fuen-

te de ensalada. Dos albañiles torturan a un jabalí enca-
denado. Un hombre muy blanco, en uniforme de dic-
tador, grita versos que conminan al trabajo. Se retira y
el carnicero, la ropa ensangrentada, comenta: "Asarlos
es lo que deberíamos hacer. Y servirlos a los perros".
Todos ríen, menos el castrato y la dama del pañuelo.

Sycorex nos interrumpió y, por supuesto, cortó la
lectura. Me despedí de Krisco y preparé un poco de
café. Había visto la cocina de la mansión a través de los
ojos del maestro cocinero. Tendría que descodificar
algunas cosas porque el recuerdo de Manteca parecía
contaminado por un lenguaje visual ambiguo, como el
de la antigua cinematografía o alguna escuela literaria
olvidada. Grabé la información en el ordenador y salí a
dar una vuelta.

En la Brumbaugh, frente a la barra de Lem, encontré al vendedor de billetes de la lotería charlando animadamente con Johnny Walker.

—... los cielos contienen criaturas y cada astro además es una ciudad celeste y asentamiento de Santos,
donde reyes y súbditos residen, no formas y sombras
vanas de cosas (como tenemos presentes aquí) sino
Reyes perfectos y gente también, todas las cosas son
perfectas allí —recitaba el ciego.

—Selaitselec selegná sol ed y odigele led olucátibah
le, soiD narg led etroCalomoc —dijo el de los ojos
amarillos.

Saludé con la mano pero no intervine en la conversación. El ciego asintió como si hubiera entendido a Walker. Éste me miró a los ojos y soltó uno de sus mágicos naipes de palabras.

—Aber jann ich glauben zu sehen, und blind sein, oder glauben blind zu sein, und sehen? —preguntó.

—Sí —respondí, sin entender entonces sus palabras.

Al entrar pregunté a Lem si había visto antes a ese extraño individuo. Sí, me dijo, es el vendedor de billetes, Homero.

—No, el otro —insistí.

—Oh. Sí lo he visto antes. Pero no sé su nombre. La gente aquí le dice el Paseante, el Orixa, y mil nombres.

—Ése es el sujeto del que te hablé el otro día, el Johnny Walker —argumenté.

—Obviamente ése no es el nombre —dijo Lem.

—Lo imaginé... pero si no supiera que es imposible juraría que ha entrado a alguno de mis programas de la Preceptron III —dije, sin saber si es realmente imposible.

El de los mil nombres me saludó desde afuera antes de alejarse. Pude leer sus labios. Ecua Jei, habría dicho. No podría asegurarlo.

15

This thing, that hath a code and not a core,
Hath set acquaintance where might be affections,
And nothing now
Disturbed his reflections.

"AN OBJECT", Ezra Pound

BÚSQUEDA DE EVIDENCIAS. Es evidente que tu voz no es el rumor de las hojas del almendro. Es evidente la insolencia de los pájaros. Es evidente la profundidad filosófica de las estrellas de mar. Son evidentes los dulces, las tazas de café a las tres de la tarde, el terciopelo de las noches en abril. Todo se apoya en la certidumbre de la proposición. Es evidente que nada sucede sin razón suficiente. Suficiente es un tigre de Bengala con el fuego artificial en la mirada. Suficiente es el árbol que había una vez en un patio. Suficiente la ropa en el suelo, el olor a incienso, los discos. Y la evidencia de que Windows existía la tenía en mis manos. Un pequeño bolso en cuyo interior había unos hermosos y pequeñísimos papeles llenos de inscripciones rojas, azules y verdes. Aquello tendría que haber requerido una construcción lenta y meditada. Quizás inspiración. Hecho para que durara siglos, esos simples papeles tenían una energía que pedía ser puesta en función. Papel y seda, como si se hubiese escrito sobre ellos la intuición. Como si cuando la tinta toca el papel se liberara una energía compleja en el que escribe y otra en el que intenta leer. Así era, sin duda. Un simple punto daba la impresión de ser el golpe de una roca caída desde lo alto de una montaña; una línea horizontal parecía una formación de nubes extendida por mil millas interrumpida bruscamente. Cada trazo es un cuerpo palpitante, con carne, huesos, músculos y sangre. Un rasgo tiene huesos y la fuerza del trazado, su espesor, es la carne, los músculos; la sangre, el grado de saturación de la tinta. Un cuerpo hermoso, imperfecto. No era posible leer un carácter sin sumergirme en un mar de sensaciones. Aquello no era información, era una especie de combustible que despertaba mi curiosidad, sugería reflexiones y resucitaba sensaciones. No estaba leyendo con los ojos separados del resto del cuerpo, como suele suceder. Mis dedos percibían la superficie del pergamino, el cuero, el papel, la seda, las hojas de la palmera, el metal grabado, el trabajo en relieve, las piedritas duras, el sonido peculiar, el crujido, el tintineo. Tragué, impulsivamente, un pequeño fragmento de papel. Sentí en mi cuerpo olivo, palmera, incienso, sales...

Pero a la mañana siguiente tuve que regresar a la casa de seguridad de la que había sido rescatado. En búsqueda de evidencia. De cualquier cosa. Sobre todo papeles, me había dicho Claris. Material en desuso y por eso sospechoso. Vulgar papel. Regresé. Descubrí aquellos papeles y era como ver y tocar la textura de la decadencia y el tiempo. Al menos eso me parecía en aquel instante lejano. Olor a polvo, color amarillento. Algunas palabras eran imposibles de leer, aun para mi escáner. Para un investigador era un problema. Para mí el hecho de que los signos se disiparan era el evento de importancia. Me importaba poco el contenido de aquellas páginas. Me emocionaba el hecho de que fueran desapareciendo, como si mis ojos se desmayaran a los colores. Era ver el olvido o la memoria. Igual sucedía con ella, a quien podría llamar Alicia, Gato de Cheshire, o Res. Su desaparición relativa era una textura. En aquellos viejos papeles, en aquella cajita negra con un lente que estaba allí oxidándose, en todo aquel material que remedaba un antiguo libro despedazado estarían las marcas para determinar si Windows en el País de las Maravillas era la persona que buscábamos. O si era una persona. Debo decir que buscaba. Porque mi cacería era distinta. La quería así, evanescente. Quería la búsqueda. No el hallazgo.

El escáner hizo su trabajo. Las microfotografías convirtieron rastros de sudor, pedacitos de uñas, cabellos, en un mapa de manchas negras que no eran otra cosa que las cadenas rítmicas de una molécula de ADN. Llevé los datos al laboratorio. El director de tecnología genética estaba allí, con su blancura de salamandra y sus ojitos de ratón nervioso. Tomó el pequeño disco en sus manos y lo acompañé.

—Pensar que la vida está hecha para ser interpretada por un tecnólogo —dijo, con aires de suficiencia.

—En realidad usted va a leer ADN. Eso no le permitirá interpretar gran cosa, no sea engreído —dije, tratando de no sonar demasiado serio.

—Ahí está todo... no se haga el romántico.

Insertó el disco en su ordenador. Parecía una pecera con su combinación de cables y líquido. La fina pantalla de selenio parpadeó y comenzó a reportar códigos en barras y espacios en blanco. Noté el gesto serio de Buttle. La pantalla se llenó de colores y luego las imágenes parecieron quemarse como una antigua película de celuloide. El técnico se apretó una oreja.

—No es humano.

—¿No es humano? ¿Qué es entonces?

—No es humano en el sentido estricto de la palabra. Cuando se activa el libro de ADN un virus destruye el texto. Desaparece. Gone. Arrivederci.

—Un virus dentro del código genético.

—Es un dispositivo de seguridad. Muy ingenioso. No es humano. Quien portaba el virus no quería que se supiera el nombre del fabricante.

—¿Puede determinar si es golem, replicante, clon, cyborg...?

—Nada. Desapareció. Podríamos volver a examinar el material. Pero no garantizo que el resultado no sea el mismo.

En el fondo me sentía contento. Estaba seguro de que aquél era cabello de Windows, o como se llame realmente. Que aquellos recortes de papel eran suyos. Que había humedecido sus dedos con saliva para pasar las páginas. Que se había comido las uñas. Las fotografías en blanco y negro que se hallaban dentro de la caja negra mostraban una pareja elegante con una niña. La niña era ella. Estoy seguro. O por lo menos la que quería ser.

—Gracias Dr. Buttle.

Tomé el tren urbano. Para pensar. Para cerciorarme de que hay carne y hueso. Ahí estaba yo, tratando de descubrir quién eliminó al Administrador de turno. Pero, ¿quién era esa encarnación de la ciudad? Ni siquiera podía recordar el nombre. Era el soporte humano de varios proyectos. Nada más. Y sin él los proyectos continuarían. Se trata de investigar el asesinato de una actitud física. El cuerpo del Administrador era como un parámetro importante de la imagen de la ciudad. Y alguien lo había cocinado. Alguien había transformado la ciudad en una cena. Un ojo caníbal. Un hambre de cambio. Por eso, creo, tomé el tren. Para escapar de las estilizaciones y tratar de tener un encuentro cuerpo a cuerpo con alguien. Un contacto leve.

Entonces aparece en el monitor de publicidad del vagón un anuncio en el que el Administrador muestra la iconografía urbana. Corta una cinta, pretende escuchar a un obrero y luego, sonreído, sentado en una tribuna. Banderas en el fondo. Omnipresente el cadáver. Ahí está su imagen interpretando su ser en el mundo. ¿Qué importa entonces quién es el asesino? ¿El asesino de qué?

16

DEBO CONFESARLO. Me había convertido en un cyberjunkie. Abrí los ojos y antes de desayunar mis cereales, ya estaba conectado.

La plaza había estado ocupada por jóvenes durante semanas. La muchedumbre le repartía flores y poemas a los soldados, y al principio, éstos sonreían. Esto duraría relativamente poco. Un estudiante, maletín en mano, impidió que una fila de tanques cruzara la avenida en dirección a la plaza. La tensión era evidente. Temí por la seguridad del muchacho y por mi propia seguridad. El tanque que comandaba la fila se movía como un animal acorralado. El joven no le permitía continuar. Luego de una súbita interferencia, la vi.

Ahora ella estaba allí. Pudo aparecer como el conductor de alguno de aquellos aparatos de metal parecidos a un elefante producto del coito de dos generales. Pudo aparecer como una pintora en medio de la plaza. Pero ella prefirió ser el estudiante frente a la hilera de

tanques. Allí estaba ahora. Cabello suelto, dando ligeros pasos hacia los lados para formar un impresionante
leve obstáculo de luz frente a la verde oscuridad de los
elefantes militares. Mi equipo defectuoso hace maravillas. Se activó la memoria y comenzaron a aparecer berlineses con pedazos de piedra en la Plaza de
Tiananmen. Hubo gran confusión. Un hombre de
ciencia, con su bata blanca, preguntaba por el complejo de laboratorios donde se iniciaría, dentro de quince
minutos, el Proyecto Genoma Humano. Una muchacha que dijo llamarse Xuhua Liang hablaba en español
con la prensa virtual. Ella, la imposible, seguía en
medio de la avenida, arriesgándolo todo. Justo cuando
los alemanes comenzaron a arrojar las piedras contra el
Ejército Popular Chino, ella desapareció de mis coordenadas. Por pura intuición supuse que la encontraría
en Praga, treinta y un años antes.

17

PENSÉ QUE ERA el único allí. El segundo día de mi suspensión, que el Gerente Investigador llamaba vacaciones. Entró una mujer, por supuesto. She walks in beauty, like a starry sky. No se sentó demasiado cerca. No se sentó demasiado lejos. Siempre sucede cuando uno menos se lo espera. Si uno lo espera no sucede. Si no sucede no sucede nada. Largo, suelto, negro, liso, el cielo de noche sin una sola estrella parecía. Necesitaba fuego para encender su cigarrillo. Yo miraba las botellas multicolores frente a mí. Miré el monitor que exhibía algún vídeo insulso. Por eso no la vi acercarse. Escuché su voz antes de verla.

—¿Tienes fósforos?

No preguntó "¿Tienes fuego?". Pedir fósforos es más directo. Una frase tan liviana, tan poco rebuscada y familiar que me sentí aliviado.

—No... bueno, no siempre. Pero te puedo conseguir —dije torpemente.

Siempre tuve problemas de comunicación. Una respuesta complicada a una pregunta sencilla. Ella sonrió con honestidad mientras me levanté a buscar cerillas en una caja que Lem colocaba cerca de la caja registradora. Al regresar tropecé con una silla, pero llegué a mi lugar sin otro percance.

—Si llego a saber que iba a causar tantos problemas no te pido nada —dijo, con tanta dulzura que quise bañarla con jabón de avena en ese instante.

—Es que estoy dejando de fumar y no tengo fuego a mano —respondí.

—Tú no fumas —afirmó categóricamente.

—¿Cómo lo sabes?

—Estabas mirando al horizonte con una mano en la barbilla. Nadie que fume piensa sin un cigarrillo en la boca —explicó.

Aquella frase era como decir que nadie escapa a su naturaleza pero disfrazada con un vicio cotidiano. Concluí que aquella mujer sería una detective perfecta. Pero el imperfecto husmeador era yo.

—Sólo fumo cuando estoy ansiosa.

Era una mujer ansiosa y yo no tenía a mano fuego, trucos de magia, ojos azules. Sólo pude decir una frase de acuerdo a lo que me dictó el triste corazón.

—¿Te puedo ayudar en algo? —dije, sinceramente.

—No... no sé. ¿Te molesta el humo?

—Si es humo de sacrificio no —contesté.

Ella rió ante mi ocurrencia y en ese instante era el hombre más feliz de la tierra. O por lo menos del Área Metropolitana. Cerró los ojos, aspiró el humo, se recogió el cabello. En los modelos cosmológicos el universo es un vasto fluido. El océano, la atmósfera, están agitados por movimientos más o menos desordenados: corrientes, turbulencias, ciclones. Cuando uno observa las estrellas todo remolino parece ausente. No sabemos si siempre fue así. Pero en esa escala universal que era el gesto de esta mujer, largo, negro, suelto, se confirmaba una noticia vieja: nuestra galaxia no es única. Allí estaba a mi lado, otra. Y por supuesto pensé en que no podría ser astronauta en su vida. Supe que siempre sería así.

—¿Eres de aquí? —preguntó, y entendí que quería cometer el simple crimen de matar el tiempo.

—No. Soy de Estambul, criado en Londres, residente en New York y estoy por acá de paso. Tú sabes, trabajando —dije, dejando claro con mis gestos que era casi todo mentira.

Me contó que era del Área Oeste y que tenía que viajar con urgencia. No vi nada parecido a equipaje cerca de ella. Era tarde. O temprano. Demasiado temprano. Una de esas madrugadas espesas.

—Te puedes quedar en mi apartamento y mañana te acompaño al aeródromo —dije.

—¿No sería mucha molestia? —preguntó, frunciendo el ceño.

—No, estoy programado para servirle a la humanidad —contesté, levantando mi ceja izquierda como un knowbot.

Mi unidad de transporte funcionó perfectamente aunque temí quedarme sin combustible a mitad de camino. Le conté cómo habían robado mi vehículo y en él habían asesinado a un muchacho por un asunto de tráfico de mindcocktails. Eso era cierto.

Llegamos al complejo de viviendas a la hora en que los borrachos deambulan en busca de la última licorería abierta. Subimos al tercer piso y al sonido de las llaves todos los muebles se acomodaron en su sitio. Lemuel, una salamandra que vivía allí antes de mí, se escondió detrás del reloj de arena. La nevera, callada, enfriaba un poco de agua, un limón y varias cosas dignas de aparecer en un poema. Le ofrecí agua, que es lo que un ser humano solidario ofrece en estos tiempos. Aceptó. Fui a buscar una de mis copas, esas, que en las noches de insomnio, se convierten en instrumentos musicales. Al regresar del rincón que hacía las veces de cocina la vi asomada a la ventana. No es una vista agradable. Cables, grúas, enormes excavaciones, las ruinas del edificio Darlington y, en la propiedad de al lado, uno de los últimos árboles frutales de la ciudad cercado por un alambre de púas.

—¿Guayabas? —preguntó con entusiasmo.

—Sí —dije, tratando de que mi falta de entusiasmo fuese un virus altamente contagioso.

—Vamos —señaló en plural.

—Mira, ahí hay un perro enorme como un hipogrifo —dije seriamente.

Ella sonreía divertida y me pidió una escoba. Pensé que volaría hasta el árbol y regresaría con alguna fruta de las que se hubieran salvado del paso del tiempo. Pero las brujas no son tan bellas. Me sentía aturdido. En realidad siempre me he sentido aturdido, pero en aquel momento recurrí al método de dejarme llevar por la situación en vez de enfrentarla con lógica. Había algo desorganizado en la cadena de eventos de los últimos días. Había algo desorganizado en la cadena de eventos de los últimos años. A fin de cuentas, la organización no ha existido siempre. La vida tampoco. Había que vivir y ella sólo pedía una escoba.

Su camisa corta revelaba suaves músculos en el abdomen. El pantalón ancho casi colgaba de sus caderas. ¿Dónde tendría el ombligo? Usó la escoba como proyección de su organismo y logró atrapar una de tres guayabas que le quedaban al árbol. Yo la miraba desde el otro lado de la cerca de alambre. Aníbal, un perro inmenso que era guardián del árbol, meneaba la cola, bajaba sus orejas y escuchaba las cosas que ella le decía. Ya no arrojaba fuego por los ojos y la nariz. Se había convertido en un animalito de felpa. A ella le brillaban los ojos cuando mordió la fruta. Se acercó flotando y puso su mano derecha en mi cara de santo inocente. No pasó nada, dijo.

De regreso al apartamento le ofrecí todo lo que tenía. La única división en la estructura era una falsa pared de madera falsa tras la cual estaba la cama. Por supuesto yo dormiría en el sofá. El baño estaba al final del pasillo, afuera. La nevera ahí. Buenas noches fue lo último que repetimos. Le pregunté su nombre, claro.

India, dijo. Luego desapareció detrás de la madera falsa. Yo me conecté a la red y como tenía un poco de hambre llegué a un documento sobre la importancia de la comida y su indudable protagonismo en la historia social. Cómo la búsqueda de las especias contribuyó a la caída del imperio romano. Cómo los marineros combatían el escorbuto con zumo de limón y repollo fermentado. Cómo Windows se atravesaba entre el sueño y la vigilia y el documento comestible. Otro fantasma, me dije, antes de que el hijo del sueño y la noche me conmoviera con sus formas engañosas.

En la mañana desperté con el olor a café. Creí estar en la cocina. El reloj marcaba las 9:36. Había dormido demasiado. Puse a hervir el agua. Me quedaban dos tazas, pero hoy era jueves y, al menos en los planes del Sistema, llovería. Quedaba un poco de café, que olía antes de que lo hubiese hecho. El deseo vence los sentidos. A veces. Leche de soja, quedaba un poco. También a hervir. Pregunté a India si estaba despierta. No obtuve respuesta. Me acerqué al panel y volví a preguntar. Nada. Conté hasta tres. Uno, dos, tres. Me asomé a la cama. Alguien había ordenado mi ropa: tres camisas, tres pantalones, tres pares de zapatos. Alguien había recogido mis discos del suelo. Alguien había guardado mi incienso. Alguien se ha llevado mi única camisa blanca. Algo se quemaba en la cocina. Otro fantasma.

18

CAMINABA POR EL PATIO del monasterio cuando, por azar, me enfrenté a Avenarius. Sabía que debía respeto. Lo imaginé mucho más viejo de lo que era. O quizás era más viejo de lo que parecía. Le pregunté cómo debería llamarlo, pues había escuchado que los otros monjes lo llamaban Dr. authenticus, Dr. breviloquus, Dr. illuminatus, Dr. irrefragabilis, Dr. planus et perspicuus... Él continuó su camino, sin voltearse, diciendo "a veces el lugar propio es la ausencia y el nombre el silencio".

19

No supe cuál era el lugar más apropiado para buscar. Lo cierto es que no sabía qué buscar. Cabía la posibilidad de encontrar algo, entonces habría que nombrarlo. Era un proceso agotador aún antes de haber comenzado. La vida habla en el dialecto alemán de Praga. De ahí mi preferencia por el silencio.

20

REGRESÉ AL TERCER DÍA. No podía renunciar. Volví a la maldita oficina. Y la noticia que recibí no era halagadora. Tendría que investigar el caso del asesinato del Administrador del Sistema, ya eficientemente reemplazado. El Sistema es una máquina administrativa. La falta de una pieza, en este caso por razón de muerte, suponía respuesta inmediata. Y como suele suceder, así ocurrió. Pero como yo no fui testigo de los eventos en la mansión de los Dosdías sería mucho más objetivo. No entendí el argumento, pero no tenía por qué entenderlo. Así iniciaría los interrogatorios, las investigaciones y la tecnodactilia. Al día siguiente tendría que hacer una neurolectura del maestro cocinero de la fiesta. Tenía la extraña sensación de que eso ya habría ocurrido.

La prensa amarillista adornaba con sus colores los monitores de la mañana con noticias de que el asesinato era obra de un poltergeist. Que eso explicaba la desaparición de Alexandra Dosdías, sin dejar rastro. Espíritu carnavalesco, bufón eléctrico, obsesión de curanderos milenaristas. Puro psicologema. Al menos eso era lo que concluía yo como investigador. Una mera estructura con caracteres arquetípicos, un imprint antiguo en la conciencia humana. Por eso todos los relatos sobre poltergeist son imprevisibles. Pero esos espíritus no tienen conciencia de sí mismos, no forman una unidad, a veces combate el lado izquierdo con el derecho y se autodestruyen. Son incautos experimentadores con artefactos extraños. Pero, claro, teníamos que soportar esas historietas de periodistas intoxicados con las luces de sus ordenadores.

Este crimen era, sin duda, obra de un ente con conciencia de sí mismo y de su obra. Una especie de escultor, una suerte de artista. Con erudición en gastronomía. Me parecía que debía de ser oriental o al menos un sinólogo aficionado. Lo deduje de un dato morboso: el cadáver estaba preparado como un enorme suchi. No sólo por el arroz que adornaba la mesa en el que fue hallado sino que, aunque muerto, estaba crudo y fresco. Sólo un poco de vapor había tocado la piel del Administrador. Era una suposición peregrina. Lo primero que se me ocurrió. Las recetas de carne cruda son incontables y pertenecen a cientos de culturas diferentes. Pero no pude dejar de pensar en el pescado crudo como referencia. ¿Qué es un Administrador sino un peje gordo? Un manejador de capital, elegante, merece pues, un trato elegante. Nada más elegante que la cocina japonesa, digamos. Pero La Tigra Volatrice me diría: nada más elegante que la cocina italiana. Sí, pero, ¿cuál? ¿La del sur? ¿La del norte? No era sencillo pero al menos mantendría mi mente ocupada. Se trata, en realidad, de reordenar las palabras como fichas. Lo que pensó el artista-chef-asesino. Eso a partir del producto de su trabajo, como si fuera posible comunicarse con un autor a través de su obra artística.

En ese proceso de repensar no pude dejar de pensar en Ella. La hubiese preparado de una forma similar. Y es que si quieres comer carne, tienes que matar. Tienes que despedazar y desangrar. Debes hacer fuego para que el sabor se aparezca. Pero si se quiere vivir hay que comer cereales. La mitad de lo que comas debe ser eso. Así se vive en paz con el resto de los seres vivientes. Legumbres, frutas, nueces, semillas... ¿Alguna vez has sido atacado por ellas? Por eso hice lo que hice y hago lo que hago. Con Ella haría un plato sabroso. Una taza de arroz integral, una taza y media de agua de lluvia, una cucharada de sal de mar. Lavar bien el arroz y ponerlo a hervir en un caldero. La hubiese mirado desde la cocina y cuando comenzara a hervir, bajaría el fuego. Dejarlo todo así. Acercarse, decir palabras dulces. No lo destape ni lo mueva por 45 minutos, 50 si no hace calor. La besaría poco a poco, hasta la humedad. Cuando esté listo, moverlo con un tenedor. Probarlo. Cerrar los ojos para aumentar el sabor. Hacer eso. Vivir. O morir.

Para mí la cosa estaba clara. Por azar me había topado con la desaparecida. Para mí, India y Alexandra eran la misma persona.

21

PARES DE OBJETOS semejantes. Dos joyas, dos medallas, dos piezas de plata labrada, dos jarrones. Nada más. Pero resulta que debido a ciertas circunstancias descubrimos que uno de los objetos posee un valor histórico. El otro no es más que una copia. Todo cambia, entonces. Las informaciones recibidas, extrínsecas a los objetos mismos, les han dado significados nuevos que los diferencian profundamente desde el punto de vista humano y, más importante aún, un considerable cambio en su valor comercial. La vida, la muerte. La realidad, la fantasía. Alexandra, India.

Por lo tanto, de tal exposición debemos entender que las estructuras de los objetos no los predestinan a desempeñar tal o cual papel; sino que la diferencia que entre ellos se establece existe únicamente en el plano del pensamiento y en virtud de un contexto exterior a los objetos mismos.

Eres un objeto de carne y hueso. Pero, si ocurriera

un cambio en el plano del pensamiento y en virtud de un contexto exterior a ti mismo, podrías tener igual o menor valor que la chatarra.

Eso me lo dijo un replicante, mientras sostenía una Sophrosyne apuntando a mi cabeza. Dicho esto bajó el arma, hizo un gesto que interpreté de saludo y se alejó corriendo. El sudor cubría mi cuerpo.

La Sophrosyne es un arma sofisticada, casi tanto como mi Ceteris Paribus con silenciador. Yo sólo trataba de tomar un café en uno de los pocos espacios al aire libre que quedan en la ciudad vieja.

22

Estaba muerta. Hacía unos quince minutos la habían encontrado sentada junto a la ventana con un cigarrillo (en realidad un filtro) en la boca. Cenizas en su regazo.

Sofía Martini trabajaba sobre su rostro cuando llegamos. Había recibido el mensaje mientras me encontraba en un billar solitario y salí hacia el edificio central de NecroRecovery dejando a mitad la partida. Allí estaba el cadáver. Recién llegado. Todavía bastante tibio y sin ninguna rigidez. Saludé a Sofía, hermosa como siempre. Llevaba sus guantes de látex y el pelo recogido en una larga cola de caballo. El cuerpo de La Tigra Volatrice estaba acostado en una especie de camastro metálico con salideros a los lados, hacia un desagüe. Encendí mi grabadora para tomar notas de aquello que fuera relevante. Sofía le separó un poco los párpados para que la lectura se me facilitara. Quedaban unos treinta minutos antes de que la memoria se fuese borrando y dejara de refractarse a través del nervio óptico. Mientras entrara un poco de luz (una reacción involuntaria, claro) el transmisor seguiría enviando datos. La Tigra había sido investigada cuando llegó y le habían insertado un transmisor a través de sus relaciones con un músico de jazz del Blues Clues. Miré los ojos de aquella mujer. Ahora tenían una extraña mirada de pescado fresco llegado de Noruega. Una nostalgia de salmón contracorriente en su mirada. Algo de profundidad y Mar del Norte. Martini arreglaba su gesto. Levantaba un poco el lado izquierdo de los labios. Relajaba un poco las mejillas y los músculos de la frente. Un poco de base en todo el rostro, entonces pálido. Muerte súbita por intoxicación, al menos eso parecía en una rápida lectura. Pude leer un celaje que se alejaba del marco visual de La Tigra antes de expirar. Pero eso era como descubrir en aquel instante algún engaño. Rebobiné la memoria. No pude leer con claridad el rostro, pero un hombre le ofrecía un cigarrillo. Lo encendía. De ahí el celaje. La visión comenzaba a desaparecer.

—¿Qué hicieron con el filtro del cigarrillo? —pregunté a Sofía, que no tenía por qué saberlo.

—Supongo que lo tienen en el laboratorio, en el tercer piso —dijo, encogiéndose de hombros, mientras introducía una especie de anzuelo de plata en la boca y apretaba los labios del cadáver como una veterana costurera.

El trabajo de Sofía Martini es una mezcla de ciencia

EXQUISITO CADÁVER | 83

y arte. Un laboratorio especializado iniciaba la autopsia con un escáner. Ella recibía el cuerpo y un frame digital con los datos iniciales. Dependiendo de las solicitudes del cliente o los familiares, lo embalsamaba mientras continuaba la segunda fase del trabajo: tomar muestras del cuerpo, humores, cabello, vellos, uñas, piel. Cortaba, arreglaba, cerraba con sutileza y con el rostro iluminado de una tranquilidad seudozen.

—Te veo luego, ¿sí? —inquirí.

—Claro, me llamas a mi casa —dijo, imitando el gesto de conectarse a través del monitor con sus guantes sanguinolentos.

—Bien, te llamo —dije, mintiendo.

—Te quiero —mintió ella.

—Yo también —volví a mentir.

Nos queríamos, claro. Pero el tiempo, la distancia, el polvo interestelar, las estrellas, el destino, otras parejas, la desidia, el desdén, el miedo, la estupidez humana, el egoísmo, la oxidiana y la malaquita, habían impedido que lo nuestro creciera hasta juntarnos. Pero eso no importaba en ese momento. Acababa de leer los últimos instantes en la vida de una mujer con la que había intimado y a quien apreciaba. Y resultaba ser la amante de Krisko, el sospechoso del crimen que teníamos, casi por necesidad, que solucionar. Más bien, tenía que solucionar en la soledad de mi trabajo.

No regresé al salón de billar, ni a casa, ni a la barra. Me dirigí a la oficina para reorganizar los datos y revelar la información recibida a través de los ojos de La Tigra. Mirando las luces de los instrumentos volví a reaccionar somáticamente a la situación. Me sentí como un animal de carroña. Un depredador insensible. Eso somos todos. Simples depredadores de información solar, incluyendo la que está almacenada hace millones de años en carbón y petróleo. Además usamos la información de estrellas muertas. Así que en estos días cortos y grises, en estas noches largas y húmedas, hay un murmullo, un ruido enorme y agazapado como una pantera, que debemos pasar por alto para no enloquecer.

—¿Me regalas un cigarrillo? —dijo Claris, hasta entonces escondido en la penumbra. Luego de regresar mi corazón a su sitio le contesté.

—No fumo.

—¿Estás seguro? —preguntó bostezando.

—Por supuesto. La próxima vez, ¿podrías avisar que estás aquí?

—Lo siento. Estaba trabajando y me quedé dormido. Imagina que no estoy aquí.

—Mejor voy a darme un trago —dije, pero en realidad me fui a tratar de descansar.

23

TUMBADO EN MI SILLÓN ergonómico, mirando al techo. Suena el videófono. Miro el monitor. Claris me pregunta si estoy bien. Por supuesto que estoy bien. Reunión de emergencia para discutir el trabajo. Sí. Estaré allá en media hora. No en la oficina. Un sitio en el que se pueda respirar.

Abrí el grifo de agua caliente y cerré la puerta. Sólo hay dos minutos del preciado líquido en el hidrócrono. Siempre escojo oír el agua y luego cerrar la puerta. Queda el aire de afuera como una señal. Odio el hábito de dejar señales. Imponernos el trabajo de esclarecer algo, leer las heridas, esperar que un fantasma aparezca. Eso cansa. No es que rechace las señales, es el hábito de imponerles una lectura. Eso. El ectoplasma de ella, por ejemplo, es una nave que cruza mi ansiedad. Decía estas cosas por lo bajo, a mí mismo, antes de ir a reunirme con Claris. Por qué ella, por qué yo, por qué la ausencia, por qué mi cuerpo está ajeno a otro cuerpo deseado y deseante. Golpeé el espejo en el que pensaba mirarme el rostro y afeitarme. Me vi desfigurado en una telaraña de caras disectadas. Decidí entrar en la bañera y sumergir lo posible en dos minutos de agua. Al principio no sentí dolor en los nudillos. Sólo al sentir el agua caliente, y ver la sangre mezclarse con la luz halógena pude entender el dolor. Mi dolor es mío, culpa no es de nadie.

La soledad es un crimen. Llena cada silencio con sus sinrazones. Pareces normal, aparentas felicidad y de repente pasa un recuerdo en el que estás tú, cometiendo lo que hasta entonces no sabías que era un crimen: una palabra dicha, una frase que no dijiste, la caricia que faltó, eso te hace culpable. Y ahora limpia tu herida con jabón. Cierra los ojos y déjate caer. Siente el agua en la nuca. Pero no sientas ningún placer, date prisa en llegar a la calle Sol.

Calle Sol. Olía a pan mojado en la lluvia del domingo pero era martes. La sal flotaba y uno sudaba como lo que es, un animal pretencioso que ni siquiera se acerca a los tigres en esa belleza incontrolable, ya extinta. Claris, y yo, discutíamos el caso Dosdías. La policía, que funcionaba paralelamente al trabajo de investigacion privado, había tomado cartas en el asunto ante las quejas de posible conflicto de intereses en nuestra unidad. Un agente del cuerpo policial tendría, por ley, que acompañarnos en la investigación. Se trataba de un residuo inocuo de la presencia estatal. Ésa era una de las razones por las cuales estábamos reunidos en la Calle

Sol, en la parte antigua de la Capital. Tendríamos que resolver la madeja de complicaciones. Ya no era sólo el asesinato del Administrador. Ahora había que determinar qué pasó con Alexandra Dosdías, desaparecida ese mismo día.

—Éste es un problema profundo —señaló Calibán en un torpe buceo dubitativo.

—No, sólo es complicado—dijo Claris—. Es que hay que mirar a los otros. Entrar en el espíritu del criminal, sus recursos, la naturaleza de sus actos, los instrumentos, determinar en qué momento hubo un error de cálculo.

—Ayer hablé con el muchacho de la policía, y estoy seguro de que se equivoca —señaló Calibán.

—¿Tienen un perfil del asesino? —pregunté, porque ése era el modus operandi de la policía. Elaboraban una teoría de cómo debería ser el criminal y redactaban una especie de fantasía. En ocasiones hasta preparaban bocetos. Calibán encendió la grabadora en la que almacenaba el documento:

El asesino vive en un apartamento urbano, tiene entre 25 a 35 años de edad, cambia frecuentemente de aspecto mediante bigote, barba, anteojos, espejuelos. Paga su alquiler con uno o dos meses de anticipación y paulatinamente se convierte en deudor sin completar los términos del contrato de arrendamiento. El mobiliario de su apartamento es muy modesto. En cuanto se muda cambia las cerraduras de la puerta.

No pone su nombre en la entrada ni cerca del intercom. Evita relacionarse con sus vecinos y no los deja entrar a su casa. Sale a horas irregulares.

No pudimos ocultar nuestra sorpresa ante la torpeza del documento. Era risible. Casi todos los habitantes de Urbania, o el sector antiguo de La Capital serían sospechosos.

—¿Sabrá el asesino que éste es su perfil? Así le sería más fácil trabajar en su obra —alcancé a decir.

El abanico de techo ofrecía una música monótona y hacía volar servilletas por todo el lugar. Claris, fumador empedernido a pesar de reconocer las consecuencias del vicio, pensaba. Pensaba que ahí estaba mi desliz, suponer ingenio en el delito. En este caso el ente perpetrador del asesinato era sin duda creativo, pero no tendría que ser consciente, necesariamente, del lado artístico de su obra. No pensó ni por un segundo en sacarme de mi error, ayudarme a salir del laberinto en el que me encontraba. Rompí el hielo:

—Entonces no hay que detenerse en los detalles superficiales, no pensar en que todo es un signo que busca ser descifrado.

—Como muy bien señalaba Thomas Nercejac, la deducción es la pretensión de usar la inteligencia para prescindir de la experiencia —dijo, quizás con ironía, Anselmo Claris.

El Gerente Investigador que tenía frente a mí siempre hablaba con una coherencia cercana a la moral. Una coherencia debida. Y la lógica está hecha con saliva. Y con paciencia y saliva un elefante desfloró a una hormiga. Quizás no se trataba de pensar en deducción sino en seducción. La deducción es una ambiciosa voluntad de inteligencia que pretende prescindir de la experiencia. Así había citado Claris. Es un hombre inteligente. Pero el asesino es un seductor. Sólo jugando de esa manera podríamos atraparlo. Por supuesto, no iba a compartir esa idea con nadie.

—Eres un sabio —dijo el otro investigador, refiriéndose al jefe—. Por cierto ¿qué es un grifo? —interrogó entrando en el género de la libre asociación de ideas.

—Un animal fabuloso, mezcla de águila y león con cola de reptil, que custodia el oro de las minas —respondió Claris—. ¿Por qué preguntas?

—Lo vi en una página de la red y tuve curiosidad —contestó Calibán con sonrisita de idiota.

Miré hacia afuera con el ceño fruncido. Afuera el mar gris parecía una sábana. El espacio perfecto para concluir que ganarse la vida es perderla. Ahí estaba, tratando de ocultar mi mediocridad, mi similitud con miles de personas, haciendo el papel de pathfinder. Descubrir el porqué la muerte se apropió de un cadáver me convertía en trabajador diestro. En ese momento, quizás por la inmensidad del horizonte y la llovizna, reconocí el lenguaje cifrado de la nostalgia. Lo raro es que tenía el rostro de Windows y la cintura de India, a quienes había visto una sola vez en la vida. Sentí el impulso de escuchar una de esas canciones, fósiles de una sensibilidad extinta, que se escuchan en la sección de música del museo virtual de la parada 15. Oh dios, por qué me has dado tan débil corazón.

Luego regresar. Recorrer la ciudad es caminar por arena movediza. Según el ángulo de la mirada, la velocidad de los pasos, la luz, hay una geometría variable. Una porosidad. Mil escaparates en los que uno se refleja de maneras diversas. No hay forma de moverse sin torpeza. Reboto de lugar en lugar. Eso es todo.

24

STB (EsTiBi, POR SUS siglas en inglés) no era mi vecino. Era mi amigo. Su compañero, Beebo, profesor de entropología, nos acompañaba a veces en largas discusiones sobre el derecho que tiene la perfección de existir por el hecho de ser perfección. Esa convicción, y esa reivindicación era la fuerza que movía al mundo. Fuerza, argumentaba yo, es una mujer hermosa caminando por la avenida. STB estallaba en carcajadas y me acusaba de sexista anacrónico, machosaurio e hijo de la gran puta. Pero Beebo (que en realidad se llamaba Basilio Borinsky, famoso en la comunidad académica por sus artículos sobre la energía específica de los sentidos) me pedía explicaciones:

—La energía, o la fuerza, es igual a la mitad del producto de la masa de un cuerpo por el cuadrado de su velocidad, ¿mientras más rápida más energía? —preguntaba, tratando de confundirme.

—No, ésa es la fórmula clásica de Galileo. La energía es igual al producto de la masa por el cuadrado de la velocidad de la luz. Una mujer despide una especie de irradiación cuando cambia sus velocidades... cuando camina y se detiene, o acelera los pasos. Cuando se está quieta y te mira —dije.

—Los dos están intoxicados por el alcohol. Cuando conocí a Beebo sentí esa energía y él estaba sentado detrás de un escritorio. Ni Galileo, ni Kepler, ni Einstein explican eso —dijo STB, mascando hielo.

—Pero recuerda que nosotros, los retrasados heterosexuales, percibimos la energía de forma diferente —señalé, con ironía.

STB (en realidad su nombre era Esteban Linares) me lanzó un pedazo de hielo, como forma de expresar lo mucho que se estaba divirtiendo. Beebo funcionaba como una especie de contrapeso al carácter jovial y desquiciado de su compañero. No tenían nada en común. Excepto el que no podían vivir el uno sin el otro. Esteban usaba pelucas rubias en las noches de luna llena. ¿Por qué no te haces un trasplante o lo tiñes?, le pregunté un día. Las pelucas son una vieja costumbre de su nativa Rumanía, me respondía. Eso decía, aunque claro, nunca había estado allí. Además, le corregí una vez, de ahí viene Drácula, no el Hombre Lobo. Déjame soñar, era siempre su respuesta.

Jamás pensé que terminaría de esa manera.

25

PARA MI SORPRESA, me llamó. Nos reunimos en Il Campanile di Giotto.

—Murió antes de ser acostado sobre la mesa. Una herida muy fina y certera —dije, respondiendo a una pregunta de Sofía que, por cierto, tenía una gran habilidad para practicar una operación determinada.

—Como si fuera un metal de la voz.

—Sí, en el mismo centro del corazón —añadí.

—El pañuelo, ¿de dónde salió el pañuelo?

—Si supiéramos de quién es... quizás no es importante. El asesino quería ahogar el grito o asfixiarlo —contesté, pero con el ánimo de cambiar el tema pues era hora de la cena.

—Cuando revisé el cadáver tenía el cerebro muy esponjoso. Eso explica muchas cosas del Administrador —dijo Sofía, con una sonrisa sardónica.

En las mesas, cada comensal hallaba una fina servilleta en la que, escondido, había un pajarito vivo y amarillo como un dios. Al llegar el primer plato las aves liberadas revolotearon por encima de la mesa. Allí estaba, en una hermosa bandeja de plata, una gallina cocida revestida de su piel y sus plumas sosteniéndose de sus patas, pero rellena de una deliciosa salsa blanca y hogazas de mazapán. En otra mesa me pareció ver un cordero de cuatro cuernos escalfado y revestido de su piel. De pie, como si estuviera vivo. De postre vendría un águila de azúcar atrapando un conejo de fresa y chocolate. Déja Vu.

—¿Qué piensas? —interroga Sofía.

—En los interrogatorios.

—Todos son sospechosos.

—Sólo cinco. Los demás son inocentes —dije, liberado de inhibiciones por el alcohol.

—¿Por qué cinco?

—Es una cuestion intuitiva. Cinco es un bonito número. No es excesivo.

—Pero no puedes dejarte llevar por la intuición —aseveró ella.

—Dije intuición, no reflejo.

—Tú eres una máquina imperfecta de precisión —dijo, tomándome las manos.

—La precisión es una pluma que sirve de pesa sobre el platillo de la balanza donde se pesan las almas —diserté.

—Te amo cuando dices esas cosas —mintió Sofía.

—En realidad amas a los antiguos egipcios que hay en mí —dije con honestidad.

—Te comería.

—Te desayunaría —respondí, pensando en pasar la noche.

—¿Cómo? —solicitó saber Sofía.

—Granola. Tres tazas de avena gruesa. Tres cuartos de taza de trigo. Una taza de almendras. Un cuarto de cucharadita de sal marina. Un cuarto de aceite sin hidrogenar. Media taza de sirope de arroz. Una cucharadita de vainilla. Media cucharada de canela en polvo. Cubrirte bien el cuerpo con la mezcla y hornearte a 325 grados por 30 minutos. Virarte varias veces, cosa de que te cocines de manera uniforme. Dejarte enfriar y añadir pasas por las orejas, piña y coco por allá, untarte leche por allí...

26

NO PUEDO DECIR DÓNDE. No puedo decir cuándo. El espacio, el diámetro del planeta multiplicado por los minutos del día, dividido por el movimiento translaticio de los seres humanos es el coeficiente de suerte de encontrarse con el sueño de tu vida. No cuenta el hecho de que pudo haber ocurrido sin darnos cuenta, que puede estar ocurriendo inadvertidamente. La única certeza es que ocurrirá cuando el error se haya instaurado en nuestras vidas. Sucederá cuando un dispositivo ubicado naturalmente en la glándula pineal deje de encender una lucecita verde.

27

LLUEVE. CHARCOS. NAUFRAGA todo. Una cifra pone su piel en el espejo de la luna. Agua. Cero. Hay un caballo escondido en la geometría del sol, pero habrá que esperar hasta mañana para huir más rápido. Un fantasma viene atado a la lluvia como un tatuaje. Hay un tacto en la evasión. Un nácar imposible regresa en los chubascos. Es la luna otra vez, imponiéndose a una lluvia recien creada. Escapar en el lomo de un delfín. Cuerpo y fantasía son ya la misma carne. Pero huir, moverse, no estar quieto. Un satélite de mí mismo. Moriré. Aguacero. Jueves.

28

EL CORAZÓN SALTÓ al mirar el videófono. Salté de mi silla como un maromero neozelandés. No era Windows, cuyo recuerdo comenzaba a sufrir interferencias, como una señal eléctrica difuminándose en el espacio. Era India.

—¿Dónde estás? —fue mi primera pregunta.

—En New York, ¿dónde más? —respondió ella, como si la respuesta fuera necesariamente ésa—. Estoy en la 106, graba... 512 Duke Ellington Boulevard —añadió.

—¿Por qué quieres desaparecer?

—Estoy aquí.

—No te llamas India —dije.

—No me llamo, me llaman.

—Alexandra —dije, dramático.

Ella quedó en silencio, mirando fijamente a la cámara. Con un simple toque cortó la comunicacion. Ahora estaba casi seguro de que eran la misma persona. Según los fotogramas tenía otro color de pelo, diferente color de ojos, un poco más delgada que Alexandra. Pero la realidad no es la realidad sin la realidad. India es su nombre de huir. Alexandra es su nombre de estar. Ésa fue mi conclusión. Entonces, la conocí justo el día en que desaparecía de la mansión Dosdías. No tenía, nunca tuve, la intención de contarle mi hipótesis a Claris. Continuaría el juego. El asesinato del Administrador podría ser resuelto fácilmente. Si no fue el cocinero bastaría reunir algunas pruebas circunstanciales e inventar una causa, una depravada motivación, o colocar las evidencias de manera que pareciera culpable. Con eso sería suficiente y sé que Anselmo lo haría. Era ella la que me interesaba. Era viernes.

Esteban me prestó el dinero. Beebo me recomendó lugares que tenía que visitar en ese fin de semana. En menos de doce horas estaba caminando con las manos en los bolsillos del abrigo, en busca de un taxi que me llevara a Manhattan. Un muchacho de Haití conducía el que encontré. Guiaba a una velocidad inusitada y conversaba animadamente. Le conté que había conocido a una haitiana descomunalmente hermosa llamada Christina Kolbjorsen. Rió de buena gana. No es un nombre haitiano, me dijo en español. No, concedí yo. Pero ¿cómo suena un nombre haitiano? What's in a name?

Llegué al 512 de la Duke Ellington. En el vestíbulo una camarita me persiguió vociferando "May I help you?". Era como si un ojo solitario, sin cuerpo, flotara para examinarte.

—Yes, I'm looking for a woman —comencé a decirle.

—Oh yes, me too —dijo la camarita acercándose a mis ojos.

—Her name is India or Alexandra —dudé.

—No one with that name.

—Mierda —dije por lo bajo.

—No Spanish.

—512... ¿Right? —le pregunté a la máquina, a punto de perder la paciencia.

Yes, dijo ella, que acababa de entrar al vestíbulo con un abrigo negro. El ojo flotador saludó a India con una gentileza apabullante. Subía y bajaba. Evidentemente programado por un hombre. India me abrazó y temblé como una hoja. Entramos al ascensor. El ojo me miraba fijamente. Creí notar un gesto de celos en él. Adiós, Xenophobic metal trash, le dije. Se lanzó sobre mí justo cuando las puertas del ascensor comenzaron a cerrarse. Una máquina herida en sus sentimientos.

Fue un inolvidable fin de semana. Pero no hubo manera de probar que eran la misma persona. India se había ido a New York con la intención de recuperar el tiempo perdido. No entendí ese argumento. Cómo se recupera eso es un misterio para mí. Lo cierto es que en la mañana, luego de una noche fogosa, al abrir los ojos la vi dentro del espejo de su dormitorio. Se peinaba sentada en el borde de la cama y pensé que por esa razón los viajantes se iban a atrasar. Tenía mi camisa azul y le quedaba muy bien. Caminó hacia la cocina y escuché el toc toc de mis zapatos. Me causó risa, porque vestida de mí me hacía sentir como una versión mejorada de mí mismo. Ella escuchó mi risa y regresó al cuarto recitando O proteus, let this habit make thee blush. Be thou ashamed that I have took upon me Such an inmodest raiment; if shame live In a disguise of love! It is the lesser blo, modesy finds, Women to change their shapes than their minds. Mi sorpresa fue tanta que sentí la mandíbula chocar con mi pecho. La información había dejado un hermoso rastro sobre India, que era capaz de reproducir el lenguaje de otro, habilitarlo, convertirlo ahora en una broma exquisita. No sabía qué decirle, pero la miré fijamente a los ojos y repetí palabras que no eran mías, que poblaban el sistema neurológico de ella. Al menos eso leí a través de sus ojos verde olivo: Madam, you have bereft me of all words. Only my blood speaks to you in my veins, And there is such confusion in my powers Where every something being blent together Turns to a wild of nothing, save of joy Expressed and not expressed. Repetí aquellos versos que me recitaba. Usé la sábana blanca para disfrazarme de algún personaje teatral, tratando de proyectar mi voz. Pero la felicidad es un virus que dura menos de 48 horas. Tenía que regresar.

29

AL REGRESAR SE ME INFORMÓ de que, al menos por el momento, no trabajaría más en el caso. En cierto modo, un alivio. Mi investigación personal sobre Alexandra-India no interferiría con informes al Gerente Claris. Tendría, sin embargo, que apoyar con trabajo de inteligencia y lectura óptica a los de la Unidad de Arrestos. La UA es una de las pocas ramas de orden civil que queda en manos de la Administración Central.

La historia comienza en Urbania. Dos muchachas del Instituto de Informática Gerencial son brutalmente asesinadas. La UA tiene un sospechoso (cocinero de la IIG) aislado en una sala de control neurológico debido a la naturaleza de los crímenes. Éste ha confesado uno de los asesinatos, dando detalles específicos. Se toman muestras de sangre y semen del escenario de los hechos y del sospechoso. Se confirma que una sola persona cometió los hechos. Pero esa persona no es el individuo arrestado.

La Unidad de Investigaciones (agrupación que reúne a varias ramas privadas, como a la que pertenezco) solicita que todos los habitantes varones de Urbania, entre los 17 y 34 años, deben someterse voluntariamente a una prueba de sangre. De no hacerlo se les presentaría una tarjeta amarilla y reclusión preventiva. Luego de dos semanas del aviso, 4.358 varones de las edades estipuladas han entregado muestras. Una de las muestras es exactamente igual a otra. Se interroga a los portadores del ADN similar. Resultan ser compañeros de trabajo. Uno confiesa haber hecho la prueba dos veces, utilizando el nombre del otro en la segunda ocasión, a cambio de un día libre en la fábrica de hielo. Pruebas a ambos. Uno, Jairo Xle, se ajusta perfectamente a las marcas genéticas del asesino. La Unidad de Arrestos llegó a la fábrica. Al percatarse de la presencia de los oficiales del orden, el asesino se internó en la cámara de congelación. Dos días después, sometido a un proceso térmico supervisado, recuperó los signos vitales y confesó el crimen. Tengo frío, fue lo último que dijo antes de ser puesto fuera de servicio.

El cocinero insistió. Se entregaba todos los días a la UA, alegando ser el asesino de las dos muchachas. Entonces fue cuando se me comisionó para llevar a cabo un interrogatorio. Era la primera vez que, oficialmente, pondría en juego mi entrenamiento como lecturer. Coloqué los electrodos de la mnemotex en mi nuca y llegué hasta la sala en la que se encontraba, voluntariamente, Lavid Vidal, cocinero conocido por la prensa amarillas como el Carnicero Imaginario. Bastaría mirarlo a los ojos para recibir el imprinting de su mirada. Luego leeríamos las tomografías y allí estarían las huellas de la verdad. O la ausencia de huellas, que es lo que esperabamos en este caso. Mi duda era en torno a qué haría Lavid una vez se le presentara la evidencia de que era inocente. Y esto fue lo que sucedió.

—Nombre.

—Lavid.

—Nombre completo.

—Vidal, Lavid Vidal.

—Núcleo familiar.

—Una hermana, Lavinia. Mi padre está fuera de servicio hace años.

—Madre.

—No tengo.

—¿No la conoce?

—No sé quién es.

Mentía. El primer día de su entrega llegó acompañado de su madre. Algo edipal en el asunto. Movía constantemente sus ojos hacia la derecha. Cada vez que emitía algún comentario levantaba la ceja izquierda. Fosas nasales extendidas. Un aumento de 0,35 grados en la temperatura corporal. Agrandamiento del iris. Aura gris cuando está en silencio. Pasa su mano izquierda por la nuca tres veces cada dos minutos.

—Está mintiendo. No tiene por qué hacerlo. Está bajo arresto y acusado de asesinato —dije, tratando de generar simpatía aceptando su teoría.

—Es para protegerla, ella no tiene nada que ver en el asunto.

—Lo sabemos. Usted es el único implicado —contesté, para reforzar su seguridad.

Vidal sonrió satisfecho. Le había seguido el juego. Le hice creer que estábamos convencidos de haber cometido un error lamentable. Él deseaba ser puesto fuera de servicio. Al menos eso pensé.

—¿Sabe que de ser encontrado culpable NecroRecovery dispondrá de su cuerpo? —informé.

—Lo sé.

—Eso implica que no será recuperado. Que el proceso de cremación culmina con la venta de las cenizas a una empresa constructora de fibra de vidrio.

—Ése será mi aporte a la humanidad —dijo, sonrisa en boca.

Hice dos o tres preguntas adicionales y me retiré al laboratorio de fotografía. Allí leeríamos la luz, literalmente. Ahí comenzó el problema. Las tomografías revelaban una escritura exactamente igual a la del convicto ejecutado. Una especie de fotocopia cerebral. La mirada del cocinero lo delataba, estaba mintiendo. Sus palabras, su confesión, no correspondían al lenguaje de los músculos faciales. Era inocente. Sin embargo, en su cerebro estaban impresas las imágenes del asesinato. O Jairo Xlé no había actuado solo, o Lavid Vidal era el primer mentiroso en vencer un procedimiento que, hasta ahora, había sido cien por cien efectivo.

Cavilando, regresé a casa en el tren, con el ánimo de reflexionar sobre algunas cosas. Lo único que se me ocurría era que Jairo Xlé, el cocinero ejecutado, hubiera introducido un neurotransmisor a Lavid. Son fáciles de conseguir en el mercado negro. De esta forma, el imprinting que Jairo recibiera de sus actos podría ser enviado a Lavid en una sencilla operación. Los antecedentes del primer acusado incluían una infracción por robo de información que cumplió en probatoria. Tuvo otros dos casos de los que salió absuelto. Eso era suficiente razón para creer que se trataba de un hacker de poca monta con desviaciones de otro tipo. Para aclarar el asunto bastaba hacerle un simple examen de sangre a Lavid y verificar las concentraciones de litio en el torrente. Así nos probaríamos la inocencia del hielero y se podría colocar a éste en una institución de desintoxicación onírica. Aliviado por mi teoría encendí mi videófono y me topé con el rostro lloroso de Beebo. Me daba direcciones. Sentí náuseas, ese día no terminaría nunca. Ahora tendría que volver a la calle y llegar hasta una zona cercana al odiado Centro Correccional.

Al llegar, la escena era amarilla. El filósofo se acercó y me abrazó. Salió a un desfile de modas. Iba a recibir un premio, me dijo. Allí estaba el auto gris de STB, una unidad antigua, rodeado de agentes. El olor a goma quemada y el paso humeante de transportes de carga, a esa hora de la madrugada, se me hacían insoportables. Me acerqué unos pasos por el lado del conductor. Una gran mancha roja cubría la camisa, cuyo color no podía precisar. La versión de la UA era la siguiente: trasladaban al notorio Chocolate Cortex del tribunal al Centro Correccional cuando el auto gris se les acercó. El pasajero les apuntó con un arma y disparó un solo tiro, que por cierto, no dio en el blanco. Los agentes repelieron la agresión y lograron herir al conductor. El auto gris golpeó la valla de seguridad y fue a detenerse allí. Allí estaba de hecho. Una herida en el pecho del conductor. Una delirante peluca rubia le tapaba el rostro salpicado de rojo. Entonces vi al pasajero. El brillante cabello blanco en un rabo de caballo. El brazo derecho, hasta el codo, fuera del auto. Comenzó a llover cuando noté el brillo de una pistola anacrónica colgando estúpidamente del pulgar. No quería mirar, pero tenía que hacerlo. Una herida abierta en el pómulo derecho. Un líquido viscoso y todavía goteante se extendía desde la nuca y el cuello por todo el cuerpo. Empapado. Un agente habló a mis espaldas.

—Ése fue el invertido que disparó —dijo con naturalidad.

No contesté nada. Una especie de sudor me cubrió la piel. Di media vuelta para ver al que me hablaba. Esteban no tenía nada que ver en el rescate de un convicto de tráfico somático a manos de una banda de mafiosos.

—Parece una actriz dramática —añadió el agente.

Sentí un estado interior de flotación. Una tranquilidad absoluta. Pude reparar en que mi cuerpo se movía solo. Me acerqué el gorila que hablaba y lo golpeé con el puño cerrado en la tráquea. Una sensación de paz me llenaba. Dos agentes ayudaron al gorila, que había quedado imposibilitado de respirar por el momento. Otro llegó por el lado izquierdo sin que pudiera reaccionar. El golpe me hizo caer de espaldas y todo se fue en blanco. Desperté en una ambulancia. El dolor de cabeza era tan fuerte que hubiera preferido seguir dormido. Allí estaba ella.

—¿Windows? —pregunté desde mi parálisis.

Ella se limitó a sonreír y poner su dedo índice en mis labios, para que hiciera silencio.

—Windows, por favor, no te vayas —dije desesperado.

—Irme es imposible. Trata de descansar —me susurró al oído.

—¿Quién eres? ¿Qué eres? —pregunté, desesperado.

—Hay cosas que no se le preguntan a un delfín —dijo ella, en un dialecto desconocido por cualquier mamífero bipedal.

Volví a caer en un sopor. Al volver a abrir los ojos estaba en una habitación higiénica. Claris estaba a mi lado, con una extraña sonrisa de satisfacción.

—Estás realmente desquiciado —dijo—. Golpear a un agente en presencia de otros no es una idea muy buena.

—Conozco al que está en el asiento del pasajero. Esteban, STB. Es incapaz de disparar un arma —traté de explicarle a Claris, con la sensación de tener la boca llena de algodones. Por supuesto, los asesinos tenían la ley a su favor. Era un simple caso de identificación errónea. Eso es aceptable. Decidí que era suficiente. Al carajo la Ley.

—Claris, me voy a dedicar a vender agua por las calles... renuncio —dije trabajosamente.

—No puedes, no debes —respondió—. Ahora nos debes el arreglo de dos dientes y el de aguador es un oficio peligroso.

Debo los dientes, debo en lo que me muevo, debo lo que como, debo donde vivo, debo la máquina de visión, debo olvidarte, pensé. Tengo sed. A lo lejos creí escuchar un violín.

30

DOS MESES DESPUÉS, recuerdo que fue un 14 de febrero, el mundo estalló a mi alrededor y me vi inmerso en un caos que no hay manera de contar. No hay principio ni fin. No hay pies ni cabeza. Como si la vida fuera una especie de cadáver exquisito. Por eso es que tengo algo que decir, pero no tengo nada que contar. Habían encontrado la osamenta de una mujer en el Bosque Urbano. Vestía camisa blanca. A su lado un desvencijado paraguas negro. Era mi camisa. Era mi paraguas. No te preocupes, me dijo Claris, tú vas a investigar el caso. Demasiados, dije yo, demasiados. Tuve la sensación de que ese cuerpo encontrado era un miembro extirpado del mío. Era percibir todavía la esquirla del obús alojada en la mano amputada. Era la presión del reloj y la sortija en un miembro inexistente. ¿Será esto el reverso de la muerte? No te preocupes, habría dicho Claris. ¿Voy a investigarme? No sabría qué buscar. No sabría qué encontrar. Sentí como si mi cerebro fuera una gran estatua de alguna divinidad echada al suelo por un iconoclasta. Estás un poco confundido, lo sé, afirmó Claris. Toma esto, propuso. Un Mind Cocktail de fresa. Media hora después de conocer aquella realidad desconcertante estaba recibiendo instrucciones para desactivar a un replicante convertido en amenaza pública:

Aquí está el arma. Aquí el seguro. Así dispara. Así está asegurada. Te acercas y le disparas en la nuca dos veces. O de lado, así. Dos veces. No corras. Nadie se va a acercar. Cuando llegues al puente arrojas el arma y te pierdes entre la gente. Llevas este paraguas rojo. ¿Está claro? Ésas fueron las instrucciones que escuché. No tenía voluntad de oponerme. Era como escuchar con mis sentidos pero mi cuerpo era completamente independiente de mis deseos. Mi arma es una Ceteris Paribus con silenciador. Una aguja al caer es mucho más escandalosa. Tengo que hacerlo. Escucharé un sonido metálico y de seguro mancharé mi ropa con algunas gotas de aceite. Veré los cristales de selenio y los cables rojos y azules saliendo por los orificios Es sólo una máquina, una máquina descontrolada, dijo Claris.

—¿Por qué yo? —pregunté como un reflejo.

—La UA no puede destruir propiedad privada y el sujeto pertenece a Meat.Com. Nosotros tenemos inmunidad por ser una institución de apoyo investigativo. Además es parte de tu tardía iniciación —declaró el Gerente Investigador.

No entendí sus razones pero no estaba en posición

de discutir mis opiniones. En aquel instante, de hecho, no tenía absolutamente ningún pensamiento contradictorio, sólo instrucciones.

Allí estaba. Sus ojos vidriosos y verdes. Un sorbo a la bebida y mirada al vacío. Me pareció extraño que aquel sujeto de mirada apacible fuese una especie de robot asesino. Había sido programado para cortar órganos y filetes de centro en fábricas de alimentación. Aparentemente su procesador de identificación óptica se había averiado y destrozaba sin aparente razón todo lo que tuviera ojos grandes y tristes. Eso incluía hasta ahora un ejecutivo con un traje gris y camisa azul celeste (parecería una vaca), y una experta en informática de la Avenida Macos. Tendría que desactivarlo destruyendo su central neuromotor, ubicado en el área occipital. Allí donde se decía antiguamente está el alma. Otra posibilidad era destruyendo toda su capacidad visual pero eso podría ser peligroso si estaba armado. Pedí una taza de café. Me quemé la lengua al probarla. Aproveché la molestia para concentrarme en el dolor y acercarme al objetivo por la espalda. No pude evitar ver su rostro reflejado en la pared de cristal de la cafetería. Leí sus ojos. Eres un objeto de carne y hueso. Pero si ocurriera un cambio en el contexto del pensamiento y en el contexto de virtud de algo exterior a ti mismo podrías tener igual o menor valor que la chatarra. Tuve la certeza de haber escuchado eso antes. Saqué mi Ceteris Paribus y disparé de contacto en la nuca. Una vez. La sangre manchó mi camisa. Sangre común y oscura salía de aquel hoyo que parecía un ojo espantoso. No volví a apretar el gatillo. Solté el arma y corrí. No escuché nada. Sólo corrí hasta el puente, me quité la camisa y la arrojé al agua pestilente. Continué corriendo. No sé por cuánto tiempo.

31

Te pierdes. Han cortado unos árboles del paisaje y te desorientas. Por el olfato puedes encontrar un depósito de sal, evidentemente robada. Tomas dos o tres libras y sales de allí caminando deprisa, pegado a las pocas paredes que quedan de pie. El hambre es tanta que alucinas. Una vaca atormenta a otra hablándole de sus problemas. Piensas matarla pero no tienes armas. Ni fuego. No puedes soportar la carne cruda y le perdonas la vida. Por el olfato sabes que tu vista se halla distorsionada. Un niño y un perro de arena te siguen. Le hablas.

—¿De dónde vienes?

—No lo sé.

—¿Quién es tu padre?

—No lo sé.

—¿Quién te ha hecho tomar este camino?

—No lo sé.

—¿Cómo te llamas?

—He tenido muchos nombres, pero no recuerdo ninguno.

El perro menea la cola. Mejor. Con el can de arena podrás saber la hora con sólo mirar su sombra movediza.

Ahora escuchas una música lejana. Sabes que es cierta porque al taparte los oídos no continúas oyéndola. Te diriges al sonido dulce de las flautas de madera y la percusión. La sal te salvará. Una hora, aproximadamente, te toma llegar hasta allá. En minutos has vendido toda la sal y puedes alimentarte de cereales secos que resistieron el embate de las langostas después de la última guerra. El niño come bien. El perro da la hora alegremente.

Otra defragmentación en el programa. Estoy en otro lugar. Preocupado. Sólo quería un poco de arroz mientras ocurrían depreciaciones del bat tailandés, el ringit de Malasia, la rupia en Indonesia, el dólar singapurense, el Kip de Laos, el kiat de Birmania y el riat de Camboya. La última vez que había estado en la sombra, esperando ver las manchas negras de los tigres asiáticos, el estómago me pedía auxilio. Sólo pensaba en arroz. Una taza de arroz. Y con aquel olor de mariscos en el aire hubiera sido suficiente. Me dijeron que allí había un centro de entrenamiento y una fábrica de virus. No estaba claro en cuál de esos países ciegos a la Interpol por lo que ellos llaman "la arena internacional". Sólo un nombre... Nicky Peck. Tienes que encontrar a Nicky Peck. Mientras camino por Birmania, japoneses ilegales dibujan castillos en granos de arroz.

32

A DÓNDE VAN NUESTROS CUERPOS? Nada se pierde. Todo tiene uso. ¿Adónde van? Todas las semanas, desde la Base Aérea Vandenber se envían cápsulas del tamaño de un lápiz labial a la Luna. El cementerio de NecroRecovery en el Mar de la Tranquilidad envía señales de luz que pueden observarse a través de un sencillo telescopio desde la Tierra. La música, seleccionada previamente por los deudos, puede escucharse a través de los ordenadores.

El viaje dura dos días. 240.000 millas. 125.000 dólares por cápsula. Yo trabajé en la industria funeraria. La primera persona que reservó y fue colocada allí fue Mareta West, que en el lejano 1969 seleccionó el lugar de aterrizaje del vetusto Apolo XI. Seguramente mi cadáver no terminará en la Luna. Terminaré como un cable de fibra óptica. Como un depósito de plasma. Como mil animales transgénicos.

¿Adónde va qué cosa? No somos otra cosa que un

conjunto productivo de órganos y de máquinas. Un
montaje de flujos materiales. Industria, economía,
información. Por eso, desnudarnos, mordernos, hume-
decernos mutuamente, es un ritual desesperado que evidencia nuestra precariedad. Deliciosamente mortales.

33

ME PERDÍ. LA GENTE se apartaba de mi camino. Cuando me vi reflejado en una fina lámina de aluminio entendí mejor. Me hallaba descamisado y con un arma en la mano. Me detuve. Repentinamente había recuperado mis sentidos. Entonces percibí una lucecita roja que se movía de mi ojo izquierdo al derecho. Reconocí el rayo láser de una pistola iónica. Al mirar hacia la procedencia de la luz distinguí a Claris, apuntando el arma.

—¿Adónde va con tanta prisa? —preguntó.

Me lancé al suelo disparando. Fallé todas las veces. En el suelo sentí que varias botas pesadas me golpeaban las costillas y una de ellas me presionaba la cara contra el suelo. Solté el arma y escuché una voz metálica que me decía *usted se encuentra ahora bajo la custodia de la unidad de arrestos.*

Salté con la habilidad de un maromero chino. Empecé a correr y con gestos aprendidos anulaba a los malos. En ese momento estaba seguro de que mi cuerpo estaba hecho de metal fundido y que mis dedos despedían rayos fotónicos. Trataba de esquivar los bordes metálicos de las aceras o las unidades de transporte para que no absorbieran mi energía. Corrí como una puta perseguida por la Unidad de Control del Vicio. Varias personas pasaron a través de mí. Pero volví a escuchar la voz lejana que me repetía lo que debía considerar ahora como la realidad. Estoy arrestado. Una bota presiona mi rostro contra el suelo.

En fin... eran los tiempos de un pez de silicio surcando las peceras de los restaurantes chinos. Eran los tiempos de las ovejas azules pastando en las praderas virtuales de Yorkshire. Eran los tiempos del pez de silicio surcando los monitores del recuerdo de los olvidados. Eran los tiempos de las ovejas igualmente azules pastando en las praderas de la nostalgia. Eran los tiempos en los que podíamos escapar de las fauces de un lobo de luz en el último segundo.

34

DOCTOR AVENARIUS, debo confesar que... a veces la carne se expresa sin tomarme en cuenta —le comenté mientras caminábamos por el patio interior del convento.

—El cuerpo es un instrumento. Piensa en la convertibilidad de ese mecanismo que responde, no al cuerpo, sino al alma. Por eso el eros puede transformarse en una contemplación intelectual —susurró Avenarius.

—¿Contemplar el miembro erguido? —pregunté confundido.

—Como una secreta escala disfrazada. Míralo como a un filósofo que intenta elevarse hasta la verdad, que es la Bondad y la belleza. Y así practica la indiferencia del mundo.

Entonces me habló del protón organon, compuesto con la misma sustancia con la que están hechas las estrellas y que permite la relación entre el cuerpo y el alma. El protón organon es un neumático que, si se malogra, cerraría todas las ventanas de nuestra voluntad, de nuestra unidad esencial. Está situado en el corazón. Otros, equivocadamente, piensan que está en la glándula pineal. El aparato neumático recibe los mensajes de los cinco sentidos y se encarga de codificarlos de forma que sean comprensibles, elaborando secuencias de fantasmas.

—¿Fantasmas?

—No se puede entender nada sin fantasmas. Intelligere sine conversiones ad phantasmata est animae praeter naturam.

DOS

El mar y el cielo se ven igual de azules

MAR Y CIELO, Julito Rodríguez

Justificación del problema

S i una sustancia permite que una molécula se junte con otra ¿qué pasaría si se pudiera eliminar esa sustancia? Habría que hacerlo de forma que la separación no generara calor porque de no ser así el objeto deconstruido estallaría. Los laboratorios Cronos habían descubierto que un cuerpo sometido a una velocidad X comenzaba a separarse molecularmente. Si se controlaba esa velocidad de forma experimental podría evitarse la explosión. Eso significaba que un cuerpo cualquiera podría ser trasladado de espacio, y por ende, de tiempo, sin causar otro daño que una leve deshidratación. En teoría. Los primeros experimentos, realizados con ratas de Maine, no habían resultado ser muy exitosos. Por esa razón se descartó la posibilidad de enviar exploradores al pasado que pudieran dar noticia a los habitantes de otros tiempos de la necesidad imperiosa de conservar los cuerpos de agua potable. Una especie de nostalgia con justificación.

Viajar al espacio de manera más o menos convencional parecía ser la forma más accesible a la tecnología del momento. Y así se hizo. Los problemas de la tripulación no eran difíciles de resolver. Para combatir los efectos de la ausencia de gravedad los viajeros realizarían tres horas de ejercicios al día. Así evitarían la atrofia de los músculos, que ya no tendrían que contraerse para mantener el cuerpo en movimiento. Los problemas neurosensoriales eran resueltos con un sencillo transmisor (receptores de pseudogravedad en el oído interno) para evitar la pérdida de equilibrio. La desmineralización ósea se reducía hasta anularla con el consumo de calcio y testosterona disfrazadas en barras de chocolate. Y así se hizo.

TITÁN

La tercera parada ocurrió, tal como estaba planificado, en el satélite mayor de Saturno, Titán. Era como regresar a la Tierra en las condiciones que dieron lugar a la vida. A fin de cuentas, las mismas condiciones que dieron lugar a la muerte. La sensación era parecida a regresar a 4.600 millones de años antes de que existiera el primer hombre. Grasshopper quedaría a bordo de la nave nodriza, *Synderesis,* mientras los otros navegarían a ese enorme copo compañero de Saturno.

Una fina nieve caía sobre el satélite. Las nevadas duraban allí seis meses, aproximadamente, dándole a la superficie un tono azul opaco tranquilizador. Mirando al universo a través del observatorio de la Estación Orbital habían observado agua alrededor de estrellas moribundas, en el interior de las estrellas jóvenes y en la atmósfera de Marte (agua que, de pasada, utilizaron para lavar las naves, a modo de juego). Pero en Titán la nieve era fina, pétalos de rosas de hielo. No se escuchaba nada que no fuera un rumor como cuando se pasan los dedos por la espalda de quien se ama.

Algunos de los nautas llevarían a cabo experimentos en la superficie, sobre todo si conviene a los hombres enfriar el vino y el agua que se bebe con nieve, que es lo mismo que inquirir si es útil beber frío o no. Esto porque es sabido que el agua de la nieve y el yelo es la peor de las aguas. Por ello es vituperada por los doctores. Plinus, uno de los científicos de la Estación Orbital que se uniría al Proyecto Orión, determinó que arrimando el vino o el agua en un barril de plata o de vidrio se goza del deleite de la frialdad sin los vicios de la nieve. Otro descubrimiento fue que no hay cosa que se iguale al consuelo que da un vaso de agua fría al que tiene sed. Por último se confirmaría la existencia de los animales bermejos.

(Por mi parte, he leído en algún lugar, quizás en las Sagradas Escrituras, que el agua se enfría con salitre, pero como sucede en otras ocasiones, no se dan instrucciones, y todo se deja a los misteriosos caminos. Mi madre lo que hacía era colgar con una soga un cántaro de agua, y una hora antes de la cena, lo mecía. Así se ponía friísima y sin perjuicio alguno).

Plinus y los demás regresaron a la nave. Grasshopper los recibió sin novedad. Partieron nuevamente en dirección de la Nebulosa de Orión. A los tres días, según la bitácora de vuelo, Paracelso, uno de los laboriosos knowbots, comenzó a toser mientras decía que con un poco de calor se podría observar allí el nacimiento de la vida. Plinus, sabio, llegó a conclusiones usando de referencia a Hipócrates, la quinta parte de sus aforismos, comentario vigésimo cuarto, "que las cosas frías como la nieve y el yelo son enemigas del pecho y hacen toser y flujo de sangre y destilaciones". Por eso, ninguna persona amiga de la salud debe comer yelo o nieve. Paracelso había tomado agua fría (hielo derretido) con el pecho desnudo, regalándose una pulmonía interestelar. Por suerte, River-A conocía bien los escritos de Avicena y se cuidó de beber agua fría. Porque este otro doctor antiguo preescribía ausencia de nieve y yelo para los flemáticos y los melancólicos. En "Historiis Animalum", decía, en ánimo de aclarar su conocimiento.

La tos no impidió a Paracelso entablar un diálogo con el capitán.

—¿Cómo hay vida en unas condiciones tan inhóspitas? —preguntó, con una lógica de humana incertidumbre.

—Cuando trabajé en los valles secos de McMurdo en la Antártica, donde la temperatura nunca sube de cuatro grados sobre el punto de congelación, encontramos una comunidad de microbios amontonados en pequeños bolsillos de agua —contestó Plinus, y procedió a dar los detalles—. Durante el verano austral el sol brilla durante 24 horas diarias en los valles del desierto helado. Eso es suficiente energía para derretir algún hielo. La grava y el sedimento que trae el viento se asienta poco a poco a unos seis pies de profundidad y allí, por los niveles de clorofila, sospeché que había algo más que grava.

—Algas —dijo el knowbot, como si fuese un examen.

—Exacto. Cyanobacteria, azul-verdosa y heterotrofos, que descomponen las algas. Cuando la cyanobacteria se fotosintetiza produce bióxido de carbono, el heterótrofo se come el carbono, respirando y reciclando. Pero eso ocurre sólo en 150 días al año. El resto del tiempo los organismos están en estado de suspensión —terminó abruptamente Plinus.

—Parecería que estuviera hablando de Marte o Europa. Pero, capitán, eso no explica el que existan animales bermejos en la superficie de Titán.

El ayudante comenzó a toser violentamente y sus ojos del color del titanio comenzaron a tornarse opacos. Paracelso dejó de funcionar unas horas después mientras le decía a una enfermera, sonrisa a flor de labios, yo te entregué mi corazón, ¿dónde lo dejaste?

—¿Delira? —preguntó el capitán.

—En el vacío la velocidad no osa compararse, puede acariciar el infinito. Así, el vacío queda definido e inerte como mundo de la no resistencia. También el vacío envía su primer grafía negativa para quedar como el no aire. El aire que acostumbrábamos sentir ¿ver?: suave como lámina de cristal, duro como frontón o lámina de acero. Sabemos, por casi un invisible desperezar, del no existir del vacío absoluto. No puede haber un infinito desligado de la sustancia divisible. Gracias a eso podemos vivir y somos tal vez afortunados. Pero supongamos algunas inverosimilitudes para ganar algunas delicias. Supongamos el ejército, el cordón de seda, el expreso, el puente, los rieles, el aire que se constituye en otro rostro tan pronto nos acercamos a la ventanilla. La gravedad no es la tortuga besando la tierra. El expreso tiene que estar siempre detenido sobre un puente de ancha base pétrea. Se va impulsando —como la impulsión de sonrisa, a risa, a carcajada, de un señor feudal, después de la cena guarnida—, hasta decapitar tiernamente, hasta prescindir de los rieles, y por un exceso de la propia impulsión, deslizarse sobre el cordón de seda.

Esa velocidad de progresión infinita soportada por un cordón de seda de resistencia infinita llega a nutrirse de sus tangencias que tocan la tierra con un pie, o la pequeña caja de aire comprimido situada entre sus pies y la espalda de la tierra (levedad, angelismo, turrón, alondras). El ejército en reposo tiene que descansar sobre un puente de ancha base pétrea, se va impulsando y llega a caber oculto detrás de un alamillo, después en un gusano de espina dorsal surcada por un tiempo eléctrico. La velocidad de la progresión reduce las tangencias, si la suponemos infinita, la tangencia es pulverizada: la realidad de la caja de acero sobre el riel arquetípico, es decir, el cordón de seda, es de pronto detenida, la constante progresión deriva otra sorpresa independiente de esa tangencia temporal, el aire se torna duro como acero, y el expreso no puede avanzar porque la potencia y la resistencia hácense infinitas. No se cae por la misma intensidad de la caída. Mientras la potencia tórnase la impulsión incesante, el aire se mineraliza y la caja móvil —sucesiva impulsada—, el cordón de seda y el aire como acero, no quieren ser reemplazados por la grulla en un solo pie. Mejor que sustituir, restituir. ¿A quién? —monologó Paracelso en un extraño dialecto con arma a tabaco.

—¿Fiebre? —preguntó Plinus, conociendo la respuesta.

—No. Es la cruda realidad —replicó Ava, la enfermera maestre.

En ese instante el gallo mecánico cantó, lo que significaba que había pasado exactamente un lustro desde el día de la partida.

En las electroceldas había tres animales bermejos, de esos que viven y se engendran en la nieve que comienza a derretirse. Los tripulantes los dieron en llamar copodrilos. El único misterio, y no pequeño, era cómo habían llegado allí para formar una pequeña pero importante colonia de animalejos. Para el capitán de la nave, sin embargo, era más importante culminar la misión que se le había encomendado, buscar agua.

UN OCÉANO FLOTANDO

En realidad no era una nube de vapor de agua, como se había pensado inicialmente. Según el Observatorio Espacial Infrarrojo Europeo, se trataba de una concentración de vapor capaz de llenar 60 veces en 24 horas todos los océanos de la Tierra. Por eso, llegar a la nebulosa de Orión y establecer allí una estación de hidropoiesis para luego trasladar la nube hasta nuestra galaxia era una idea que, si bien difícil, no era imposible. Sobre todo si para llevar a cabo la tarea se contaba con el concurso de la Empresa.

Lo cierto es que la tarea representaba un acto suicida. No que lo fuera, sino que el grado de dificultad era inmenso y la posibilidad de fracasar era exactamente igual a la de tener éxito relativo. La Nube de Orión se convirtió entonces en la Utopía de Pangea. Ir hasta allá ¿resolvería el problema de sequía? Eso no importaba. El problema principal en este caso era que nadie quería llegar hasta allá. Se trataba de viajar a la velocidad de la luz durante seis años. Vivir otros dos años adicionales preparando toda la estación, realizando experimentos de hidrología y preparando los arneses de succión para viajar de regreso durante ocho años. El regreso sería más largo por el peso de las moléculas de agua. Pero habría otros problemas. Los clones, logrados hasta ahora a partir de material genético maduro, no vivirían en ausencia de gravedad por tanto tiempo. La pérdida de materia ósea sería insostenible para ellos. Por otro lado, los replicantes no tenían la capacidad de almacenar cálculos, ni llevar a cabo complicadas maniobras de logística en caso de que fallaran los sistemas de informática, lo cual sin duda era un prejuicio humano que, en la experiencia, sería facilmente constatado. Por lo tanto sería necesario que viajaran, al menos, una docena de ciudadanos naturales. Pero, como dirían los replicantes, un ciudadano natural (un humano) es su yo y su circunstancia. La fórmula era la siguiente: frente a un acontecimiento X el humano respondería con su temperamento Y, en donde Y tenía un valor potencial ilimitado e incontrolable. Eso era igual a solución genial o tragedia épica. Además, el valor de los humanos en un viaje como éste era puramente testimonial.

La Empresa, como siempre, propuso una solución a la disyuntiva. Doce condenados a reclusión perpetua, desintoxicación o crímenes de conciencia, serían convocados a participar del proyecto a cambio de su libertad. Tendrían que poseer un alto coeficiente de inteligencia (por lo que los asesinos en serie serían excelentes candidatos). Recibirían, durante el viaje de ida, una formación erudita en química, física, hidrología e ingeniería.

Nadie contaba con que luego de seis años de viaje interestelar los doce nautas naturales y la otra docena de tripulantes se toparían, no con una nube, sino con un inmenso océano flotante poblado de una perturbadora fauna.

—Hay mucha agua —dijo el capitán Johns la primera vez que observó con sus propios ojos aquel mar celestial al que se aproximaban a la velocidad de la luz.

—Y debajo hay más —respondió River-A, uno de los tres ex presos de conciencia, con la capacidad sardónica con que aderezaba sus comentarios.

Y así era sin duda. Durante la desaceleración, que duró tres semanas, debieron elaborar un plan de exploración del mar. Utilizaron el tiempo del pliegue de la vela solar para el establecimiento de coordenadas. La vela, de dos héctareas, recolectaba el flujo de partículas desprendidas por cualquier estrella y aprovechaba, además, el poder de aceleración del viento solar. Este tipo de navegación era placentero. El inicial, que los llevó a la Estación Orbital y a Titán, consistía en explosiones nucleares controladas. Excelente aceleración, pero no dejaba de ser un poco peligroso. La segunda fase consistió en aprovechar la curvatura del universo y atravesar dos atajos plenamente identificados, Galileo Freeway y Copérnico Freeway. La tercera fase consistía en aprovechar los agujeros negros como anuladores de inercia y como generadores de energía. Ahora, ya cerca de la nebulosa, se transformaban en navegantes de un velero gigantesco.

Synderesis poseía tres pequeñas Farben, navesbotes cartográficas equipadas con cibersondas y sensores. Desde una Farben se podía enviar información a la Ángelus, la computadora principal de la nave. Allí Grasshopper y otros knowbots le daban forma coherente a la data. La Ángelus era una especie de extensión inorgánica del cerebro de la Empresa (del mundo, como quien dice). La Deux Machina, ubicada en la Estación Orbital, recibía automáticamente la información de la computadora principal de la nave. En la calle, en el aire, se le llamaba de forma jocosa a la mente mundial GOD, General Organization Device.

River-A, por ser de una isla y pescador artesanal cuando era niño, se ofreció de voluntario para la primera cuadrilla. Espoc y Arsur formaron el trío.

Al lanzarse por vez primera en el bote notaron, a simple vista, que la luminiscencia azul de aquel continente de agua procedía desde el fondo. Corales, aparentemente, servían de hábitat a una variedad impresionante de seres. River-A descubrió, por un cierto movimiento de las aguas, una camada de langostas de color azul. "Mimetismo", pensó.

—I'll cook them with some butter made with milk from the milky way —señaló Arsur a sus acompañantes.

—Nunca había visto tanta belleza junta desde aquella vez en que vi al objeto de mi pasión frente a mí —murmuró River-A.

—La belleza no existe —dijo Espoc.

DIARIO. SECC. 2T74. COPYWRITER, C. RIVER-A

Hoy hemos visto un delfín rosado que ha intentado comunicarse con nosotros. Espoc, tomando un poco de agua en sus manos y probándola, dividió el conjunto de animales marinos en cinco categorías: kiet, tisem, hor, cenc, ciing. Arsur realizó la traducción simultánea: peces; cangrejo, langosta; moluscos; medusas, animales urticantes; animales que tienen caparazón y se mueven. Espoc fue ensamblado en la zona industrial de México. Por esa razón su catalogación estaba regida por el catálogo de peces de esa zona. Arsur, hidrólogo, biólogo marino, políglota y asesino, era amigo del tecnomex, a quien conoció en una playa de la costa este. El científi-co terminó allí una cadena que lo había llevado a pro-ducir más de sesenta trabajos sobre la fauna marina que le hicieron valer fama en la comunidad de biólogos marinos. Allí realizó su noveno asesinato al lanzar a un joven surfer a un tanque en el que había una tintorera hambrienta. Eso lo convirtió, brevemente, en figura mundial, conocido por el *Surfkiller*. Condenado a muerte por inyección letal, solicitó participar en el Proyecto Orión.

Repito: Hoy hemos visto un delfín rosado. Quizás atraído por nuestras voces, se acercó al bote. Posee dos largas alas, como todos los delfines, por lo que lo llamé Rosa de los Vientos. Movió la lengua y dijo varias cosas. Le pregunté a Arsur si entendía pero con-testó que se trataba de un dialecto cuaternario, pero que en el tiempo que estaríamos en el mar y sus inme-diaciones sin duda lo aprendería. Espoc nos ilustró con la información de que en el Nilo hay una varie-dad de delfines que tienen en la espalda una aleta igual a una sierra, con la que matan a los cocodrilos en casos de legítima defensa. Pregunté si había estado en el Nilo. No, dijo, es parte del infotrivia que poseo: *Bestiario medieval*, Brunetto, folio 194. Inaccesible en forma de libro. Sin esas trivialidades, sin ese azul bri-llante de este extraño mar, sin el delfín rosado y este asesino de jóvenes sobre tablas de surfing, este viaje que salvará a la humanidad de la deshidratación sería imposible.

HAY MIL MARAVILLAS

Hay mil maravillas, y nada es tan maravilloso como el hombre, dijo El Griego. Más allá incluso del espumeante mar, bajo la tempestad avanza, cruzando las ondulaciones de las rugientes olas. Si se trata de la más augusta de las diosas, la tierra, imperecedera, infatigable, la atormenta con sus arados uncidos de mulas y yeguas haciendo la ronda para removerle de una estación a otra.

Y al pueblo de los pájaros de ligera cabeza lo envuelve en sus paneles con las especies de las bestias salvajes, sin olvidar a los habitantes del salobre mar que coge con los pliegues de sus redes este hombre astuto. Gracias a sus trampas se adueña de los cuadrúpedos que frecuentan las cimas; somete luego al curvo yugo el caballo de crinosos lomos; y lo mismo hace con el indómito toro de las montañas.

Ha inventado también la palabra y el aéreo pensamiento, con los principios que presiden las ciudades, al igual que ha aprendido a vivir sin exponerse a las mortales heladas, ni al golpeteo de los diluvios, él que sabe prevenirlo todo; jamás carece de recursos contra las amenazas del mañana.

El Griego hablaba así para inspirarnos confianza antes de lanzarnos en una Farben al mar ignoto. El aéreo pensamiento nos había llevado hasta aquí, sin duda. Sólo eso justificaba el haber violado todas las leyes físicas conocidas. Sólo el haber entendido que las escalas de medición terrestres eran sólo reales en la tierra nos había permitido crear otras formas de entender el espacio, de pensar lugares, de crear el aquí y el ahora. El Griego, con su bata blanca, con su discurso de fósil viviente, nos confirmaba la relatividad de todo, incluyendo las palabras. Todo es una gran obra inconclusa en la que participa cada ente, cada segundo. Un inconmensurable cadáver exquisito.

MIRAR EL INFINITO

Ningún sentido corporal puede percibir el infinito. Ninguno de nuestros sentidos puede aspirar a suministrar semejante conclusión, ya que el infinito no puede ser objeto de la percepción sensible. Ésos eran, más o menos, los monólogos de Bruno, un knowbot que servía de mecánico de aviación en la nave. De esta manera, decía, se convencía a sí mismo de que no tenía que pensar en la vida, la muerte, el tiempo, la distancia, el dolor y otras cosas. Tenía que estar defectuoso. Ninguna máquina de ese tipo entraba en esas consideraciones. Pero sus monólogos eran entretenidos. Sobre todo en un viaje tan largo. Además su trabajo seguía desempeñándolo con eficiencia.

DIARIO. SECC. 4H364. COPYWRITER. C, RIVER-A

A veces llueve de forma lustrosa. Un felino se forma gota a gota, con un rumor de sueño. Pero es una lluvia distinta. La velocidad es desusada. Es una suerte de agua ligera que se unta en el aire. Uno puede respirarla. El paraíso es agua.

DIARIO. SECC. 3T397. COPYWRITER. C. RIVER-A

En la Nebulosa de Orión, mejor dicho, en este gran océano que no está en ninguna parte, hay un delfín con el alma a cuestas, un pececito azul que mira desde lejos con una timidez que enternece, una especie de pulpo avinagrado con tentáculos inquietos, sirenas sin espinas y una rosa de mar que hay que verla.

En este océano perfecto en todos los sentidos se confirma la existencia de los deseos. El agua es un deseo que se extiende por décadas y lugares. Es como si la sed pudiera ser calculada, como si la voluntad de importar un océano fuera la utopía más grande que la humanidad se haya propuesto convertir en realidad. Como si los impulsos de dominio hicieran concreto el dicho de que lo que no existe no es lo irrealizable sino lo irrealizado. Aquí estamos. Hemos llegado. Y ahora ¿qué? Este océano es una imagen real producida por espejos, o lentes poderosos, que posee una forma y localización espacial determinada. ¿Podremos separarla, medirla, cortarla, atraparla?

La Nebulosa viaja a 32 pulgadas por año. Demasiado veloz para nosotros, demasiado lento para la voluntad del hombre. Nos hemos movido hasta aquí siguiendo la antigua definición de movimiento dada por Descartes: el movimiento es en todos los casos la traslación de un cuerpo de la vecindad de aquellos cuerpos que lo tocan inmediatamente y que se consideran como en reposo, a la vecindad de otros. Y así, no hay contradicción en decir que uno y el mismo cuerpo pueden estar en reposo respecto a sus alrededores y en movimiento respecto a un cuerpo situado más lejos. En medio de esta liquidez azul puedo afirmar que, no sólo el universo existe, que es eterno, simple y uno, sino que existe por sí mismo. Nosotros no.

La belleza existe

La belleza existe, dijo River-A. Espoc habría dicho lo contrario. Al isleño le parecía raro que su compañero dijera tal cosa, cuando una de sus cualidades era, precisamente, una asombrosa capacidad de observación.

—El problema de Espoc es que no observa, más bien desmenuza —dijo Arsur.

—La belleza es una codificación de la realidad hecha por intereses particulares con el propósito de subordinar la conciencia de los sujetos y establecer procesos binarios elementales de pensamiento y formulación de juicios —afirmó Espoc.

—Bien. Ahora trata de ofrecer una definición sin buscar en un *frame* del diccionario filosófico que algún cientiburócrata te ha insertado en el área occipital —respondió River-A con evidente acento sardónico.

Espoc se limitó a sonreír, negando con la cabeza. "Es la solidez de una lámina de acero lo que interesa de por sí", dijo. Pero él sabía que su comentario era una especie de libreto, una respuesta esperada en una secuencia sintagmática previamente codificada.

—Vamos, esfuérzate un poco y contesta de otra manera. Mira ese color azul. Mira las formas de las nubes. Escucha el sonido de la brisa. Siente el calor. Prueba el aire, la sal, el olor a caldo que te rodea. No jodas, Espoc, sé que puedes decir una cosa más interesante —insistió River-A, mientras lanzaba al agua una improvisada red.

—Tendría que decir que una lámina de acero, para existir, necesitaría la experiencia del mundo. Necesita del sueño de algunos, el deseo de la solidez, el deseo del brillo. Para hablar de la belleza del acero tendría que decir algo como "esto es aquello" y esa manera de interpretar la realidad no me ha sido concedida —contestó Espoc, mirando con detalle un caracol marino que se había quedado sin bailar en la danza de las olas.

DIARIO. SECC. 2H692. COPYWRITER. C. RIVER-A

Creímos distinguir una pequeña isla en medio del inmenso mar. Una superficie verdosa, como una roca lisa. Pero no era necesario preguntar a nadie. Ese tercer día de navegación en el mar me había permitido recuperar una especie de dominio de las señales que el entorno proponía. No me engañaba la isla. El apidochelone abre las mandíbulas de par en par y de ellas sale un aroma dulcísimo a rosas maceradas con azúcar, como la luz de un farol desbordándose a merced del aguacero. Con ese dulzor, obliga a los pececitos a arremolinarse en bandadas y bancos en torno a su boca y los engulle. La tortuga escudo, como también se le conoce, se parece a una isla. Sus gritos son desagradables.

Basta imaginarse la posibilidad de explorar la isla. Hacer una fogata. Caminar entre la escasa vegetación. Despojarse de esta ridícula ropa de Kevlar y plástico atravesada por fibra óptica, y así, desnudo, tomar la luz celestial y broncearse con ella. Entonces, de repente, escuchar los alaridos incontrolables de la tortuga escudo. Sería un episodio digno de ser contado en un viaje como el nuestro. Un viaje de estos que no tiene ninguna dirección. Imposible regresar a donde nunca se ha ido. Imposible largarse de donde nunca se llegó.

Los tres lo hemos decidido, Arsur, Espoc y yo. Navegaremos en nuestro bote hasta encontrar una isla, un continente, náufragos o la muerte a manos de un pulpo gigantesco. Hay alimento para siempre. Una fauna marina ilimitada. Si hay cangrejos debe de haber, en algún lugar, antropoides. Espoc nos contaría toda su enciclopedia, ése sería nuestro combustible, nuestra arma para matar el tiempo. Eso es relativo, el tiempo, digo. Arsur manejaría la información que recibiríamos a través de nuestro equipo de análisis. Estaba maravillado, no podía dejar de reír pensando en que podía informar coordenadas, como si pudiéramos precisar un lugar, mientras navegabamos comiendo pescado sobre un no-lugar. Aquí está la nada. Las coordenadas son latitud Espoc, longitud Arsur, y yo. Esto es una broma del espacio.

Fracasa el Proyecto Orión

Cuando el trío de exploradores comenzó a enviar sus carcajadas y sardónicos comentarios, Grasshopper intuyó que algo andaba mal. Los datos de Ángelus afirmaban la coincidencia de la atmósfera con los modelos de lo respirable. No había nada, ningún tóxico, ningún gas o elemento que pudiera explicar la extraña actitud de los tripulantes de la Farben. Presentó su informe a Plinus y éste, sin mostrar ninguna seña de temblor o sobresalto, pidió comunicarse con la nave-bote cartográfica. A sus pedidos, River-A respondió con seriedad, firmeza y cierta ternura que desarmó al capitán de la nave nodriza. El regreso al sistema solar y a la Estación Orbital eran imposibles. Con el peso del océano, la explosión nuclear necesaria para la aceleración sería monumental y virtualmente una forma de cocinar a más de veinte entes. La radiación sería incontrolable y la posibilidad de estallar formando una especie de sistema meteorológico autónomo muy probable. Entonces, por qué no quedarse allí, en un territorio inexplorado, con una temperatura agradable y paisajes paradisíacos. La argumentación del ex recluso era romántica pero en cierto modo cierta. Plinus, sin embargo, elaboró teorías que podrían refutar las posibilidades de un estallido. Aceptó que lo de la radiación era muy posible, pero que al llegar a la Estación Orbital podrían ser tratados contra la degeneración causada por ella. Espoc y Arsus participaron en la conversación en la que lo más notable era la seguridad y alegría de los desertores y la parquedad y paulatina deficiencia argumentativa de los oficiales del Proyecto. Se trataba de una emergencia y Plinus, en ese caso, tendría que dar paso al capitán Johns en la toma de decisiones. Así lo informó a los desertores, finalizando su discurso con un "tendré que hacerlo". Johns, entonces, encomendándose a sus deberes como capitán militar del Synderesis, los acusó de deserción y robo de equipo de la Empresa. Él y otros cinco voluntarios saldrían en las restantes Farbens con la intención de apresarlos y recuperar la nave-bote. Dicho esto, interrumpió la comunicación.

El trío permaneció en silencio, escuchando el rumor del mar acariciando la nave. Continuaron cocinando sus langostas como si lo que acababa de ocurrir, en realidad, fuese un episodio ajeno. Espoc, con sus gafas polarizadas observaba ese brillante objeto flotante que se acercaba lentamente y poco a poco les daba sombra. Era imponente, como si un planetoide dirigido se abalanzara en cámara lenta sobre ellos. Sin embargo, la expectativa de regresar al interior de aquel adefesio le causaba incomodidad. Respiraba aire puro. Descansaba en un paraje que remedaba una postal antigua del Caribe o Tahití. Decidió enviar un mensaje a Grass-hopper: "Como decía, la belleza no existe. Por eso he decidido inventarla, crearla utilizando los objetos exteriores a mí mismo que se me presentan. Una cierta combinación de colores, una determinada textura, una peculiar mezcla de olores y sabores, son capaces de impulsar reacciones sensoriales de placer que tú, mi maquinal amigo, creíste incapaz de experimentar. La belleza es una forma de saber. O mejor, un modo de querer saber. Para sentir eso basta la siguiente fórmula: Si el entramado logístico-somático conocido por Espoc deja de existir de modo programático entonces la belleza comienza a existir". Grasshopper recibió el mensaje y pensó en la gran cantidad de estímulos que requería una simple lectura. En su modo lógico de razonar, la cantidad de estímulos para percibir algo subjetivo como el placer o la belleza era demasiado imprecisa. Grasshopper dejaría de funcionar sin entender que no era cantidad, era calidad.

Synderesis parecía una luna chata. Colocada justo sobre la Farben de los fugitivos el zumbido de la misma podía resultar enloquecedor. "Una abeja con megáfono" dijo Arsur. Bbzzzzzzzzzzzzzzzzzzzzzzzzzzzzzzzzzzzzz zzzzzzzzzzzzzzzzzzzzzzzzzzzzzzzzzzzz. ";Por qué le llaman a ese ruido zumbido y no bzumbido?", preguntó

Espoc, cuya lógica comenzaba a descubrir los intersticios de la ironía y el sarcasmo. Observaron sin mucho sobresalto cómo de aquel objeto de resplandor metálico que les daba sombra surgían dos pequeñas figuras. Arsur, pensando en que se trataba de Johns y sus cinco voluntarios, comunicó su intención de no dejarse arrestar con vida. River-A se armó de una congelada langosta azul. "En todo este relato, en este asunto de darle vida a la existencia, hice todo lo que quise. Menos una cosa: un helicóptero construido de acuerdo a las anotaciones de Leonardo da Vinci, del 1486-1490. No hubiese volado un carajo, pero ahí radica su belleza". Espoc, sonreído, se vistió con una camisa de colores brillantes y les pidió a sus acompañantes que, por favor, si lo desactivaban no lo echaran al mar, porque tenía aceite corriendo por sus venas.

TRES

La vida es una semana fugaz.

LA VIDA ES UNA SEMANA, Eugenio Peraza

I

ABRÍ LOS OJOS. Salí del sueño. Miré mis manos. Sentí el dolor a vidrio en los dedos. Traté de gritar pero la voz salía de un espejo colocado en el techo de la habitación. Me acerqué flotando a aquella imagen. Tenía el cuerpo ligero. Ésa era la impresión. No estuve seguro de que la izquierda y la derecha estaban en sus lugares habituales hasta que logré concentrarme y pensar que no existen lugares habituales. Recurrí a lo que me enseñó mi maestro, el Dr. Avenarius, las facultades de memorización, aprendizaje y natación de los grandes moluscos marinos. Mi recuerdo más reciente es mi rostro aplastado contra el suelo. Entonces comprendí. Estoy preso. El color de la piel ha podido variar. Sé lo que ocurriría en casos como éste. La eficiencia del sistema de investigación y corrección depende en gran medida de la química y la ingeniería genética. Pronto recibiría la visita de técnicos interrogadores. Ellos prepararían la confesión y me colocarían, literalmente, en situación de confesar. El primer síntoma es la depreciación de la imagen corporal propia. Dos individuos descansaban en sendas cajas de alivio. Traté de visualizar sus respectivas características. En eso estaba cuando una explosión me dejó abierto el tiempo. Pudo haber pasado un minuto o un siglo. En ese instante me encontré frente a ella. Fuera de mí, no supe que estaba sucediendo.

2

UNA SOLA PREGUNTA. Contéstala con rapidez y sinceridad. ¿Eres real?

—No hay ninguna diferencia entre la carne y un microprocesador del tamaño de la punta de un alfiler montado sobre una molécula de silicio. Soy tu fantasía, tu deseo, tu memoria, tu vaporware. ¿Qué más quieres?

—Quiero saber si eres real.

—Quieres saber. Eres un primitivo. ¿Crees que puedes cambiar la vida sólo con el pensamiento? Crees que 1.400 centímetros cúbicos de cerebro son suficientes?

—No. Por eso estoy huyendo. No sé de qué, pero estoy huyendo.

—La secularización del peregrino. Corres buscando el hueco de lo sagrado en la tecnosfera.

—Ahora me detengo. Contesta. ¿Eres real?

—Decir que soy real no es, en rigor, decir nada de mí.

—Déjame cuantificarte, al menos.

—Para ti una mujer real es aquella que es posible.

—Muéstrame la realidad y seré un hombre nuevo. Hazme sentir que concordamos con las condiciones materiales de la experiencia. A mí, que siempre creí que uno es lo que simula ser.

—No te equivocas. Uno es lo que simula ser. No hay verdad final detrás de lo que percibes.

—Detrás de ti hay una fábula perversa esperando.

—¿Y tú me lo preguntas? Perverso eres tú.

—Estaba tranquilo hasta que mencionaste esa oscura frontera.

—De eso se trata. Negociación de fronteras.

—Vamos a imitar la furia sexual de las antiguas fábricas. Tengo mecanismos de succión y torsión que podrían llevarnos a Nirvana. Si quieres.

—¿Ahora crees en mí?

—Credo quia incredible est.

—Me gusta cuando callas porque estás como ausente. Pero me gusta cuando hablas en esa lengua. Voy a sexionarte.

Soy un espectador. Pero las imágenes me instalan en el escenario. Estoy proyectado. He sido invitado a compartir. Soy un implicado.

3

CUANDO ESCUCHÓ EL ruido ensordecedor del estallido saltó de la silla. Sycorex y Calibán, antiguos
compañeros, ahora custodios del sospechoso, yacían en el
suelo. Windows, con una poderosa Wirklichkeit en brazos, había derribado la puerta y un desconocido, con un
ojo azul y otro amarillo, había disparado su iónica sobre
el dúo. Él levantó sus manos estúpidamente mientras preguntaba ¿qué carajo pasa? Ella lo agarró de un brazo y
salieron deprisa a la calle. El desconocido corría de espaldas a una velocidad increíble, por lo que la sensación de
que alguien pudiera seguirlos y atacarlos por la retaguar-
dia era nula. En un callejón abordaron un auto y proce-
dieron a cubrirle los ojos. "Está bien. De todas formas me
molesta el sol"—dijo. "Será el humo, porque no hay
sol"—respondió el desconocido, que ahora conducía.

Había pasado una hora, más o menos. Más o menos
porque, como se sabe, la electricidad no fluye conti-
nuamente, sino en un flujo de partículas cargadas. Si el

tiempo se mide de forma eléctrica, entonces, hay una distribución aleatoria, que se sobreimpone en el flujo estable de fluctuaciones independientes. Se trata de un efecto, más bien. El efecto, en este caso, podría traducirse en el paso de seis decenas de minutos.

El silencio a bordo del auto era espeso.

—¿Adónde vamos?

—A quitarte el neurochip que tienes insertado en la nuca —dijo una voz que debía de ser la de Windows.

—Mejor llévenme a un quiropráctico. Me duele la espalda.

—Yo te pondré cada hueso en su sitio —dijo ella.

—¿Antes o después de lo del neurochip? —preguntó él.

—Después.

El auto se detuvo. Lo llevaron a una estructura acondicionada y silenciosa. Le quitaron la venda. Se hallaba en una gran sala alumbrada con neón y paredes blanquísimas. Ella se hallaba sentada en un cojín, en el suelo. Él, de pie en medio del lugar, buscando orientación.

—Siéntate —dijo ella.

—Me siento. —Tomó un cojín azul y se acomodó como pudo en el suelo.

—¿Quieres preguntar algo? —concedió Windows.

—No quiero saber nada. Sólo sé que no asesiné a esa mujer. Sólo sé que no fue mi voluntad disparar al hombre de la cafetería.

—No hubo intención pero hubo la acción. Eres un agente —explicó ella.

Él se llevó las manos a la cabeza. Lo habían convertido en una máquina de carne y hueso. Un animalito programado. Por eso Iku podía estar fuera de su conciencia, en la Perceptron y en el sueño. Era más real que la realidad. Preguntó por ese fantasma eléctrico, mezcla de orisha y holograma.

—Es nuestro modo de avisarte. Queríamos que tomaras consciencia de que tus razones eran razones instrumentales. El neurochip puede desprogramarse con dopamina y serotonina pero hay que controlarlo. Johnny Walker y esa mujer, India, eran nuestros emisarios, la forma de excitarte —trató de explicar.

—Tú me excitabas muy bien —dijo él.

—Pero estabas muy vigilado. Habrá que hacerlo a distancia. Hay que extraerlo.

—Windows, estuve con India en New York, no era un holograma —señaló.

—Era un agente. Conocían tu imagen ideal y la prepararon para ti —dijo ella, encogiéndose de hombros.

—Pensé que era Alexandra Dosdías. Creí que eran la misma persona —dijo él.

—No era ninguna de las personas. El asesinato del Administrador es parte del juego de relaciones de poder. Un nuevo inversionista, algún funcionario relacionado con biopiratas, acciones en el mercado, ésa es la forma en que se suceden los cambios. Alexandra pudo haber sido la misma persona. Pero eso no importa.

—No me importa ya ni cómo pienso, ni qué es pensar. Me importa saber qué es estar vivo. Eso —dijo él, con cierto cansancio.

—Descansa. Eso no tomará ni quince minutos —dijo ella.

—Siento como si hubieran pasado mil años.

—Eso es confundir el tiempo con la oscilación de millones de moléculas en sincronía —dijo ella—. Es una broma... No eres culpable de nada. Tú sólo eras parte del Sistema, sin tener conciencia de ello. Ahora tienes que hacer existir otras cosas.

—Todo es una palabra, una cifra.

—Transformar un estado inicial de reposo, eso es.

—Todo es un relato.

—Tú decides ahora los protagonistas.

—Yo que pensaba que todo era una red.

—Parece una red. Pero el Sistema es una jerarquía. La General Organization Device no es una red. Es un tejido discriminador.

—Es un laberinto sin salida.

—Y dentro de él un Minotauro se alimenta de carne humana.

—Y tú quieres vivir afuera.

—No. Nosotros queremos vivir. No hay adentro, no hay afuera.

—No entiendo, pero me está gustando.

—No se trata de entender.

—Eso ya lo entendí.

4

UNOS MINUTOS después despertó con una ligera
molestia en la nuca.

5

EL DIAGNÓSTICO se encontraba entre lo sublime y lo ridículo. Estuve repleto de virus. Una de las zonas de mi cuerpo estaba contaminada. Ubicado en la glándula pituitaria, el microchip intervenía con la producción de hormonas naturales y sintéticas. Además servía como una especie de código direccional para la conducción de los virus.

1. novoricordo.trojan: manipula los impulsos eléctricos y la carga de los neurotransmisores. Contrario a los virus tradicionales, no pueden reproducirse.

2. hy.giene: cuando se elevan los niveles de serotonina y dopamina este virus regula esa producción de manera que el deseo no se apodere del ente portador. En los laboratorios sicofarmacéuticos del Sistema se le llama, de forma humorística, Tranquilino Suavena.

3. antimnemosine: borra de forma apenas imperceptible los archivos de la memoria.

La basura era inmensa. Un vertedero gigante como el que está a la izquierda de la Avenida Kennedy. Estaba lleno de paleomensajes, puestos allí con el único propósito de ocupar espacio ****** Forwarded Message Follows****** To: saritah@playgirl.com, alfauno@zoo.com, disjuncture@global.net, difference@mondes.net, espacesjeuxetenjeux@paris8.com, forbetterforworse@harvardbusness.com, boltanski@brzezinski.shit, fukuyama@asshole.is, theinvisiblehand@capitalism.net, warandpeace@globalvillage.org, fuckingelectroniclandscapes@boundaries.cunt, desfurwursheroiques@belleslettres.oui, estequetengoaqui@enmimano.cum, marsilioficino@damore.net From: ecuajei@maquinolandera.net Date: Thu, 24 Aug 2069 22:08:58 GMT This is a multipart message in MIME format. ―― = Next Part _ 000_36ff_3ac9$aad Content ― Type: text/plain; format=flowed

Get Your Private, Free E-Mail from M&M Chocmail at http:// www.entuboca.com

Y a través de una conexión electrónica mis archivos mentales estaban llenos de mensajes antiguos y de virus improbables buddyllst.exe, calcu18r. exe, deathpr.exe, teletubb.exe, The Phantom menace, prettypark.exe, internet69upgrade, perrin.exe, I Love You, CELSAVER.EXE, Win a Holiday, Free Pizza, sexunlimited.exe.

Ahora entraría en un proceso de desintoxicación que duraría relativamente poco. Y es que todos y cada uno de nosotros estamos conectados a la Máquina. Pregunté. Ella me respondió: La Máquina no es otra cosa que la actualización de un equipo cuyas instrucciones aparecen en el *Essai sur la philosophie des sciences ou exposition analytique d'une classification naturelle de toutes les conaissances humaines,* de André Marie Ampère. El libro fue escrito en 1834, de donde alguna mente depravada lo rescató del olvido.

Ahora... ¿qué hacer? ¿Viajar a la luna con el oficio de desanidador de pájaros? Mirar del universo qué es del todo lo uno y del todo lo otro. ¿Viajar, entonces, al espacio en una meganave de demiurgo a elegir y separar lo uno y lo otro? O viajar, da igual, en la tierra, separando de igual forma lo otro y lo uno. ¿Decir aquí abajo? ¿Decir allá arriba? El presente aquí. El futuro allá. Aquí la perdición. Allá la salvación. ¡La vida es una gran araña caníbal!

Subir un árbol, escalar una montaña, volar. Ése es el desarrollo de la humanidad. ¿Una moneda común es el fin de la prehistoria? ¿Viajar a la verdad? La verdad es una viejecita friolenta y temblorosa a quien hay que tapar con una sábana blanca. Y si tuviera manos serían largas para hacer trampas o sacar de ellas a sus hijos. Si tuviera culo se sentaría en una silla de mimbre. Si tuviera palma de la mano se dibujaría una cruz allí con crema de cacao. Si hubiere cabeza se untaría otra cruz cerca de la nuca. Pero basta, por ahora, con tomarse una cerveza. De esas frías y transgénicas de cebada germinada, lúpulo, arroz, amapolas, champiñones, miel, hojas de laurel...

6

EL CALOR ES AGOBIANTE. Andamar, la de los mil nombres, la que no tiene ninguno, la misma pero diferente, sugiere leer un *Tratado de la nieve,* de Francisco Franco, un libro de la antigüedad de papel. Siglo XVI. Me parecía una excelente idea. Desnudos leeríamos aquella publicación. Nos daría frío. Tendríamos que arroparnos uno al otro. Conservaríamos mejor nuestros cuerpos en y durante la pequeña muerte. Gózase del deleite de la nieve sin los vicios de la frialdad.

(Desnudos, uno frente al otro en una habitación azul. Lo único que los separa ahora es el violín que ella toca. Una melodía suave. Deja el violín. Se acercan. Se tocan. Se tantean. Se huelen. Se chupan. Se aprietan. Se menean. Se separan. Se acercan. Se humedecen. Se lamen. Se miran. Se amontonan. Ajenjo. Acíbar. Mirto. Anís. Clavo. Moscada. Jengibre. Canela. Luego carne. Ajo. Perejil. Cebollín. Azules, otro frente al uno en una desnudez).

Pregunto si somos una cifra. La cifra no es propiamente conocida, solamente se escucha su mensaje. La cifra es transparencia. Hay que saber leer el cuerpo cifrado y pasar por una serie de estadios: investigación, reflexión, iluminación. Digo que me investigues, que me reflejes, que me ilumines. Hagamos ese número.

7

CUÉNTAME UN CUENTO —pidió él.

—Cuando la tierra era joven no había luna ni sol. Los humanos y animales hablaban la misma lengua. Dos mujeres, arrancando rizomas de helechos comestibles, discutían si era mejor juntarse con pescadores o cazadores, y si el guiso de helechos quedaría mejor con carne o pescado. A falta de especias le echaron una cucharadita de estrellas a ver cómo quedaba aquello. Siguiendo su olfato llegó allí un animal extraño que llamaron hombre. Ellas le ofrecieron caldo si se ocupaba en tallar unas piedras para hacer puntas de flecha. Eso para abrir la bóveda celeste e inventar el viento y la lluvia, que salen de allí por un pequeño agujero. Pero es un cuento muy largo y olvidé cómo termina —dijo ella.

—Pues yo te cuento uno —dijo él.

—Por favor —susurró ella acurrucándose entre las telas de algodón antibacterial.

—Una noche de febrero hace muchos años, un hombre ayudó a lanzar al espacio un enorme coleóptero de aluminio corrosivo desde el dromedario-cósmico de Kazajistán. Y desde entonces, todas las noches, miraba al cielo y se imaginaba que allá arriba estaba la felicidad suya y la de su pueblo. Y lo llamaron Paz. Y le enviaban mensajes. Era un animalito de 120 toneladas dándole vueltas a la Tierra y a los sueños. Pero poco a poco se hizo viejo. Entonces, un día...

8

AHORA, REGRESAR A la calle. Sin neurochip. Como un extraño. A merced de su precaria voluntad. Con la conciencia del cuerpo. A su merced. Ésa era la subversión. No un plan. Un estilo de vida. Una implosión hacia los continentes biológicos más acá de una ilusión de alta fidelidad de teleexistencia. Caminar por la calle, entre los cables de 400.000 voltios y el zumbido, como una gran abeja invisible. Ahora, envejeciendo, mirando a los vendedores de agua, habiendo reconocido sus fluidos corporales mezclados con los de otro espécimen, espera la muerte, como quien espera la vida. Como Dios alargando su dedo índice para tocar a Adán en el altísimo techo de una iglesia en ruinas. Ésa es la solución al enigma.

La ciudad se mueve conmigo. Si me detengo ella continúa. Es un acontecimiento. Al doblar la esquina todo será distinto para que nada cambie.

Hay otro administrador en la Zona Metropolitana.

Nadie se acuerda del anterior, el cocinado. No hace falta. Basta una cara nueva consistente con la anterior. Un nombre nuevo que, al parecer, hemos escuchado antes. Y proyectos de infraestructura. Como si la presencia y telepresencia de arquitecturas en tránsito le diera una definición a la realidad.

Mañana la ciudad estará un poco más al norte. El sueño de Technotitlán. Y se hunde. Poco a poco. Y nos hundimos. Y no importa. Así es la vida. Quizás yo también esté un poco más al norte y en algunas coordenadas se indique eso con precisión. Mi carne, en fin, es una cápsula de información en las entrañas de un gran ordenador. Soy una chispa en un circuito eléctrico.

9

AHORA NO PUEDO DEJAR de leer tu rostro. En tus ojos hay un libro chino que discurre: un resplandor de luz circunda el mundo del espíritu. Se olvida uno a otro, quieto y puro, por completo potente y vacío. Lo vacío es traslúcido por el fulgor del Corazón del Cielo. El agua de mar es lisa y refleja en su superficie la luna. Las nubes se atenúan en el espacio azul. Las montañas lucen claras. La conciencia se disuelve en el contemplar. El disco de la luna reposa solitario. Hui Ming King, digo. En tu mirada hay un puente, un distribuidor, una compuerta, una ruta, un reflector, un servidor, un buzón. Cuidado con transformarte ahora en una ola, o en la espalda milenaria que es el aguacero. Entonces tendría que reparar en los sueños que he tenido con el agua. Habría allí un rumor como el que hace el limo del arroyo. Tendría entonces, como cuestión de orden, que hacer un cuento de naufragios. Hundido yo, alegre y sudoroso.

No puedo ahora dejar de leer tu rostro. El pestañear del ojo izquierdo es una primavera que se deleita en un laberinto de árboles frutales. El párpado derecho tiene una fuente, caminos y senderos. Miro la hora en el cuadrante horizontal de tu frente. Tu mirada es una galería.

Hay una historia olvidada entre dos páginas de agua. Y ésa es la historia que habría que contar.

Y ahora quizás lo entiendo. Ahora que no tengo que deambular sobre el helado río Hudson puedo pensar, sin interferencias. Sin interferencias como las que tuve cuando me deslizaba sobre mi programa del Muro de Berlín, esa representación virtual en la que celebrábamos, de nuevo, la exaltación de nuestras almas primates. Las ruinas eran el camuflaje de la nada.

Y ahora quizás lo entiendo. Los ojos de Gonzalo Fernández. Eran transmisores. Un cadáver que trataba de decirme algo. Un ruido del pasado. Lo real es hermosura de vista, suavidad de olor gusto de excelente sabor, palpar. Oír. Pero el principado de la vida es palpar. El único sentido que no se pierde.

Pero estaba claro. Aquellos 161 kilómetros de muro que atravesé en mi Perceptron III, en donde divisé el lago Wansee, eran una metáfora gastada. Y es que todo viaja a la velocidad del pensamiento. El desastre de Chernóbil fue la causa inicial del cambio de las relaciones entre el Este y el Oeste. Eso cuando el muro se dividía en esas parcelas. Bastaba entonces con hablar. Hablar para que el mundo cambiara. Conectado a mi Perceptron III permanecía en silencio, a pesar de la sensación ruidosa de gentíos parlantes. Cada vez que permanecemos callados alguien se apropia de la velocidad de nuestros pensamientos. Por eso ella me ha dicho: hablar es nuestro software. Hablar como en este disco que me entregas donde hay una fe grabada, una fe a la que no le hace falta un Dios. Y que dice así:

I

1. Toda luz desencadena una barbarie.

2. La oscuridad es una pretensión del orden.

3. Si una persona cae libremente no sentirá su propio peso.

4. Eran los tiempos del descubrimiento: somos metalenguaje biológico. Tiempos de antítesis, tesis y protesis.

5. Eran los tiempos en los que tomarse una cerveza en la soledad permitía entender el universo. Aquellos tiempos de la norma y el desvío juntos. Revueltos. Tiempos en que amar era un modo de aguardar lo irremediable. Los tiempos de la expansión exponencial de los atributos de la especie más inteligente.

6. Eran los tiempos en que estabamos en el menú, en los que desapareció el patrón oro y la otra cara de la moneda. Tiempos en los que el error no deja rastros.

7. Eran los tiempos del acaso y el fuego. Aguardar lo irremediable. Tiempos del alfabeto y el olvido. Se supo: el alma camina mucho más lentamente que el reloj y el amor es un espacio alterno.

8. Eran los tiempos en que todos somos artificiales y la flecha del tiempo avanza en una sola dirección, pero es mentira. Pero a nadie le importa. Tiempos en los que necesitábamos saber lo que no podíamos saber. La alucinación consensual. Los tiempos en que la realidad era/es una organización provisional. Aquellos tiempos en los que no hay lugar para la batalla entre el ser y el devenir y la luz de tus ojos es absorbida por las estrellas. Ahora es el tiempo. En un lugar cualquiera que no es un espacio. En tu boca el juego de azares. Los péndulos y las balas en el vacío. Tiempos de escoger entre el cínico y el entusiasta. Entre el éxtasis y la anécdota.

9. Eran los tiempos de un gran dispendio de palabras para buscar la concavidad sólida del orbe lunar no existe, moviéndose circularmente, pese a que nunca se ha movido, arrastra consigo el elemento fuego, que no sabemos si lo hay. ¿Por qué ahora la palabra Galileo?

10. Sé que no nos entendemos. Pero ése no es el problema. Querrás dar más crédito a las cosas de hace dos mil años, sucedidas en Babilonia y narradas por otros que a las presentes que tú mismo experimentas.

11. Pero éstos no son los tiempos de Babilonia. No son los tiempos de los caballos egipcios musicando la arena y la prisa. No son los tiempos aquellos en que se razonaba en medio de banquetes. Ni siquiera son los tiempos del arcabuz. Pero imagínate los caballos egipcios con sus crines brutalmente negras ondeando como banderas de azabache. Imagina las yeguas indómitas, demorando los giros del sol con sus patas veloces.

Pondera cómo los guerreros cocinaban los huevos, endureciéndose mientras circulan por los aires como planetas nutritivos. Con la fuerza centrífuga de la imaginación de los observadores. Accedamos a la antigua Babilonia. Seamos babilonios. Aunque éstos sean otros tiempos.

12. Éstos eran/son los tiempos de la ausencia de limites. Los tiempos del universiendo. Tiempos en los que el universo se contrae para luego reiniciar su expansión. Ahora sabemos que la materia se alegra a medida que avanza a su elemento.

13. Eran los tiempos en los que la física explica de manera peregrina la influencia del pasado sobre el presente. Tiempos de decir que la vida es un fósil interminable.

14. Y así estamos llegando con tanta multitud de autores, para debilitar nuestras palabras, para no fortalecer ninguna conclusión, para quitar nobleza a nuestra causa, para demostrar que otros han discurrido mejor. Y es así. No hay nada que contar. Sólo algunas cosas que decir.

II

1. Todo nuevo bajo el sol. Incluso sobre el sol y debajo de la luna. Todo nuevo.

2. Está dicho. Quien añade ciencia, añade dolor. En la mucha sabiduría hay mucha pena. O al revés.

3. Aquello que fue, ya es; y lo que ha de ser, ya fue; aquello que es, está siendo; y lo que está, será lo que fue.

4. Nada va a un lugar, todo está hecho de polvo y nada se tornará en polvo. Estamos aquí y estaremos en todas partes. Reciclados los unos a los otros.

5. Porque los sueños son multitud, ¿qué sacaremos de ellos sino mirarlos como un gran espectáculo? El amanecer de la realidad es su crepúsculo. Es el horizonte a nuestras espaldas.

6. Todo nuevo bajo el sol. Los depredadores naturales son balanceados por los depredadores artificiales, que son los depredadores naturales. Recuerden: aquello que fue, ya es; y lo que ha de ser, ya fue; aquello que es, está siendo; y lo que está, será lo que fue, y viceversa, y todo lo contrario, y quizás, pero tal vez. El que tenga oídos, que vea.

7. Todo nuevo bajo el sol. No es de los ligeros la carrera, ni la guerra de los fuertes, ni de los sabios el pan, ni de los prudentes las riquezas, ni de los elocuentes la gracia. La carrera es de los que no dejan huellas, la guerra es de los seductores, el pan es del que hornea la ilusión material del mundo, las riquezas son de los ricos, la gracia es del que repite del que repite del que repite.

8. Cuando florezca el almendro y éste grávida la langosta, y pierda sabor la alcaparra, será el tiempo.

III

1. Remedar. Más pasados. Más presentes. Más futuros. Remedar. Un mundo tras otro, a otro, ante otro, bajo otro, con otro, sobre otro, sin otro.

2. La realidad es sólo carisma. Querer decir es mejor que decir.

3. Están equivocados: el demonio es lineal. El ángel es una mariposa que se aleja de sí misma.

4. Emocionarse y remedar la emoción. Apasionarse y remedar la pasión. Desear y remedar el deseo. Dolerse y remedar el dolor.

5. ¿Qué es lo que fue? Nada de lo que será. ¿Qué es lo que ha sido hecho? Nada de lo que se hará. Y el que nada no se ahoga, de ahí que el pez es metáfora.

6. Todo nuevo bajo el sol. No hay memoria. Con los caballos de signos a la deriva iremos a contar lo que falta.

IV

1. Porque ya no estará bajo la sombra del bosque Danae Jamaicencis. Cambiará su nombre Danae Jenmanii arrastrada en los humedales. Esconderá su nombre Danae Urbanii en los oscuros riscos de un bosque.

2. Se quedará en la China la Salix Babylonica, entre las lágrimas del sauce llorón. Quedará sin sangre la Alternanthera Sessilis y sin dulzura la Annona Muricata.

3. Morirá de amor platónico en lengua de mujer Albizia Lebbeck.

4. Eugenia Axillaris, ruega por nosotros

Eugenia Biflora, ruega por nosotros

Eugenia Boqueronensis, ruega por nosotros

Guayabota de Sierra, ruega por nosotros

Eugenia Cacuminis, ruega por nosotros

Eugenia Confusa, ruega por nosotros

Eugenia Cordata, ruega por nosotros

Eugenia Domingensis, ruega por nosotros

Eugenia Eggersii, ruega por nosotros

Eugenia Laevis, ruega por nosotros

Birijí, ruega por nosotros

Eugenia Padronii, ruega por nosotros

Eugenia Sessiflora de la Virgen Gorda, ruega por nosotros

Eugenia Underwoodi, ruega con limoncillo del monte, porque la naturaleza está llena de personajes olvidados en busca de un autor.

5. Y ante todo lo eléctrico, una sopera multicolor llena de agua de río y cinco piedrecitas. Al otro lado de lo virtual, en el amanecer de acá, recogerlas en el fondo del río.

6. Llena el aire de abanicos de sándalo, plumas de pavo real, pececillos, camarones, conchas, botecitos, espejos, joyas, corales marinos, paños bordados.

Y así como la física no estudia cómo se relacionan los momentos sucesivos, o la influencia del pasado sobre el presente, nosotros reivindicamos la interferencia, me dices, el grafo del deseo, la sustancia corporal del goce, más allá del lenguaje, más allá del espacio. Reivindicamos el goce del otro y la senda hacia la muerte. Argumentas. Y te digo que la fe es un programa operativo. Y me dices que sí, que sí. Eso se lee en este disco que tengo en mis manos. Un libro que no es un libro. Es, más bien, el dolor de la reestructuración. Y estas palabras no las dices tú, ni él, ni yo.

10

ENTRE EL HUMO DEL BAR y las palabras repetidas, lo único que está claro es el olvido. Ahora no era fácil caminar por la calle. Nunca lo fue. Ir a la barra de Lem era descabellado. Por eso me dirigí hasta allá. Lentes de colores, cabello claro, tez oscura, lentes polarizados, sombrero de fieltro. Irreconocible, pienso. No quiero causarle problemas. No vayan a pensar que él tuvo algo que ver con mi reconversión.

—¿Qué desea?
—Palabras... dos o tres palabras.
—¿Las mezclo con agua o las quiere en las rocas? —dijo Lem, pasando una telita verde sobre la mesa.
Lo miré a los ojos y abrió los brazos para abrazarnos.
—¿Eres artista ahora? Te queda muy mal ese color —rió Lem.
—Perdona esta visita peligrosa.
—No hay peligro, tengo mi propio sistema de segu-

ridad. Para eso están los amigos... para estar.

Hablamos. Una larga conversación. Le conté mis cosas. Él me relató sus experiencias. Me despedí.

—Lem, siempre es un placer hablar contigo.

Pero Lem no podía dejarme ir sin uno de sus lapidarios comentarios.

—Pero ten cuidado. Siempre debes estar alerta. En uno de sus diarios Leonardo da Vinci narra una conversación que tuvo con un viejo. Un diálogo ameno y simpático. Se despiden y termina el día. La siguiente anotación es una detallada explicación de la disección de un cadáver fresco.

Salí de allí y me repetí el asunto del diario para reír por el camino. Pero miré las estrellas, y recordé el pasado, un relato que asumí como parte de mi experiencia. Aquella vez en que los cosmonautas rusos Serguéi Krikaliov y Yuri Gidzenko, junto a Bill Sheperd, ciudadano de un país sin nombre, viajaron al espacio para convertirse en los primeros habitantes de la Estación Espacial Internacional. Puedo explicar en detalle las características del cosmódromo de Baikonur. Nunca estuve allí, en carne y hueso. Pero cada vez que miro al cielo llegan a mi mente los relatos. Y puedo sentir como si estuviera en el Soyuz-TM31. Y todo da vueltas, como la estación Internacional. Vueltas. Como un ingenio azucarero flotando en la inmensidad.

II

PARPADEAR NO PRODUCE ningún ruido. Pero eso puede cambiar el curso de la vida. Hay una suerte de sonido en los ojos cerrados. Una ampliación. Como si los ruidos tomaran colores particulares. Mira las gotas después de la lluvia. Cómo se mueven lentamente, como minúsculos felinos líquidos. Uno puede adivinar el ruido que hacen al despegarse y saltar al vacío. Se puede sentir el temblor cuando caen a la superficie. Es igual cuando te miro a los ojos. No hay ruido. Parpadeo y hay una conversación entre imagen e imagen. Una música dulce con aroma de tiempo.

Ahora recuerdo. Aquel interrogatorio. Y cómo aquel muchacho desatado gritaba enloquecido. Repetía el manifiesto que había publicado una organización desautorizada por el Sistema. (Un fantasma recorre América: el fantasma del espectro. Contra ese fantasma se han conjurado en santa jauría todas las potencias de la Unión Europea, el G.O.D. y el Administrador, los radicales norteamericanos y los polizontes alemanes. No hay un solo byte de oposición a quien los adversarios gobernantes no motejen de espectral, ni un solo site de oposición que no lance al rostro de las oposiciones más avanzadas, lo mismo que a los enemigos reaccionarios, la acusación estigmatizante de espectral). No terminó de recitarlo. Cambié la vista pero logré escuchar el chasquido. No disparé esa vez, pero el haberme negado a impedirlo se convirtió en una memoria de culpa. Creo recordar a la mujer en el Bosque Urbano, pero es un relato tan vívido que me atrevería a asegurar que no es real. Recuerdo todos los detalles. No voy a traerlos ahora a mi discurso porque son execrables. Pero no es posible recordar de una forma tan clara. Lavid Vidal, por ejemplo, se esfuma. Se pierde. Hubo un interrogatorio. Mas, ¿cuáles fueron exactamente las preguntas? ¿El color de los ojos? A veces sí. A veces no.

12

Y A VECES HACE TANTO frío en la vida como en la medida de 140 pingüinos temblorosos. Y entonces buscamos el calor. Y si lo encontramos buscamos alguna razón de hielo, una nieve cautiva, un frágil copo de inocencia. Y así sucesivamente. Pero nunca se unen el frío y el calor. Por lo menos, que se pueda recordar. Por lo menos no en momentos de calma. Sólo imaginando está el agua junto al fuego o el fuego junto a la tierra o la tierra junto al agua. Cada uno de esos elementos tiene su lugar natural. Y alguien habrá dicho que el agua es una llama mojada. Y entonces nadie le habrá creído. Y si le creyeron buscarían alguna razón de infierno, una centella suelta, un frágil combustible sólido. Pero quizás me equivoco. El hidrógeno solitario o el oxígeno sin compañía llevan a cabo tareas flamígeras. Pero juntos son agua. Y así sucesivamente.

Está claro: nunca se unen la luz y su reclamo. Por lo menos que se pueda olvidar. Por lo menos no en momentos de borrasca. Y a veces hace tanto frío. Y a veces hace tanto calor. Pero, eso está claro, nunca se unen la luz y su reclamo. Por lo menos, que se pueda olvidar. Por lo menos, no en momentos de borrasca. Y a veces hace tanto frío. Y a veces hace tanto calor.

13

QUINCE MINUTOS después de salir de la barra fueron a buscarme. Pero no hallaron a nadie. Ni siquiera a Lem. Su sistema de seguridad era ése, desaparecer. El lugar estaba desierto y los Agentes se sirvieron un poco de agua y esperaron por alguien o por algo. Sólo escuchaban una canción antigua de una tal Edith Piaf. Luego el propio Lem me diría que estaba dispuesto a enfrentar cualquier cosa y a dar su vida por lo que creía. Pero de eso a dar mi vida por G.O.D...

14

MI CUERPO NO ES un ánima fluida capaz de ser vertida en cualquier recipiente. No soy un producto de la ingeniería biomédica. La máquina necesita funcionar sin conciencia. Yo puedo dejar mi conciencia alejarse de la conciencia de sí misma, pero eso me causa una nostalgia que traduzco en ganas de vivir. Ahora lo sé. La piel no es sólo una membrana permeable. Me lo han dicho tus dedos. Ahora sé que no soy culpable y que aquellas muertes no me corresponden. Tanto si ocurrieron como si no ocurrieron. No sé lo que busco, pero voy a conseguirlo. Ahora.

Y nosotros, los que regresamos al cuerpo, somos llamados espectrales.

15

CÓMO PODEMOS tragarnos uno al otro?

16

LO QUE NOS PERSIGUE es el deseo del deseo del otro. Pero en realidad no nos persigue. El poder no está centrado en el Príncipe, más bien en sus motivaciones, que existen sin que él exista. Lo que no permite que camine libremente no es el capital y sus moneditas eléctricas. Lo que me hace sentir perseguido no son los aparatos del Sistema, ni siquiera la General Organization Device. Lo que no me permite entender el mundo no es la desaparición, hace más de un siglo, del espacio fabril. Lo que limita mi conocimiento no es reconocer la analogía entre la división del trabajo y la táctica militar. Todo es un alfiler de provocaciones, un fantasma de carne fantasmática. Es más cercano el hilo entre la luna y su anzuelo de plata. Es más tibio el que nos acerquemos desnudos desafiando ciertos rasgos del modelo contractual. Mi silencio no es una estrategia sublimante que oculta deseos prohibidos. Mi palabra tampoco. No quisiera creer que la vida es sueño. Sólo la pereza podría aconsejarme esa fe. No quisiera.

Tampoco quisiera atrapar al mundo en una palabra. Nombrar, sin embargo. como si decir, para mí y para los otros, fuera un diván en el que se acomoda cualquier síntoma, hasta el síntoma peculiar de creer que se está vivo. Y no hay libros, no hay papiros que logren cazar la imagen de la época: esa mueca veloz. Por eso habría que hacerlos. No porque sean mejores, sino para arrojar luz sobre luz. Como si una biblioteca bombardeada fuera un bello espectáculo que nombra algo, y ese algo no es la desaparición de las palabras. Tampoco es su superación. Y allí está la palabra: un fósil cercado por la luz. Más allá la luz fosilizada por los signos. Leer con la misma velocidad de la escritura y viceversa. Escribir a la misma velocidad con la que leemos. Quizás sólo ha cambiado la velocidad. Las frases juegan con más intensidad, pero no hace falta llorar sobre las ruinas de los libros. No hace falta preguntar a los guardianes de las fronteras si podemos pasar. No hace falta que un personaje tenga un grupo de palabras en las cuales debe caer para salvarse.

Y allí, sentado a aquella mesa estaba él. Podía identificar aquel rostro a seis millas de distancia. Fumaba y tenía un tono amarillo en la piel que presagiaba el tormento de un síndrome mortal. ¿Qué estaba haciendo aquí? Éste no es un lugar para él. Celarent se acercó desde una esquina y me llevó a la calle. Pregunta por ti. Dice llamarse Lea Far. Y tanto Celarent y yo sabíamos que ése no era su verdadero nombre. O tal vez era éste su verdadero nombre y aquel otro, el de gerente investigador era el falso. Quería que lo encontrara. No tenía intención de encontrarme. Deseaba que yo me topara de frente con él y acabara de una vez con su agonía. Esa agonía que trataba de ocultar con capas de retinol. Quiere que lo pongas fuera de servicio, me repitió Celarent. Y no le daría ese gusto. Apunté con mi dedo índice al medio de la frente. Disparé. Pude haberlo hecho. Preferí alejarme de allí. En sus ojos estaba dibujada la muerte. Y a ella, a la muerte, yo no estaba dispuesto a ayudarla.

17

LAVE BIEN EL ARROZ que encuentre en el mercado negro. Póngalo en una cacerola o caldero. Bese en la nuca y añada agua, sal y tápelo. Coloque su mano entre las piernas de su ayudante y cuando comience a hervir, bájele el fuego. Desnúdense por 45 minutos o una hora. No lo destape. Cuando esté listo, muévalo con un tenedor. Es recomendable hacer suficiente arroz para varios días. Y estar atentos. Vivir cada instante. Soy un asesino cereal, doméstico.

18

QUÉ HORA ES?
—Las mil y quinientas.
—Estamos justo a tiempo.

19

SUEÑO. O QUIZÁS RECUERDO como un sueño. Pero no me engaño. No es el pasado lo que recuerdo. Y ahí está ese olor. Dulce. Amarillo. Y un cuerpo tirado en la ciudad. La ciudad parece una escenografía de Bombay o Delhi. El olor a fruta recién cortada le añade una escala a ese mapa de ficción. Recuerdo entonces. No hay otra palabra. Hay un cuerpo tirado en la acera y leo su rostro. No hay muerte. Sólo obsolescencia. Cesó la producción de ese modelo. Mis ojos (¿sólo mis ojos?) dialogan con una aparición. Me aconseja. No leas ese rostro. Y ahora lo sueño. No hay otra palabra. Individuo transgénico. Huele a piña. La aparición me aconseja. La vida está en otra parte.

20

Hablabas en sueños.

—¿De qué?

—La Búlgara.

—Ella había trabajado en las minas de helio e hidrógeno. Lo supe por las canciones que cantaba mientras cocinaba. No sé si tenía esa costumbre en otros lugares pero aquí, conmigo, los versos lentos y nostálgicos aderezaban nuestros desayunos y nuestras cenas.

Durante varios meses, quizás tres, me visitaba casi todos los días al salir del trabajo. La Búlgara nunca me contaba grandes cosas. Sólo hermosos relatos gastronómicos. Nunca supe si eran ciertos o falsos. No me importaba. Narró una vez que había trabajado en no sé qué banquete. Los invitados, unos veinte, encontraban a la mesa finas servilletas de seda casi transparente en las que se hallaban asustados pajaritos vivos. Los empleados presentaron el agua para lavarse las manos y los invitados desplegaron las servilletas y los pajaritos revolotearon por encima de la mesa durante toda la cena. (Alguna vez usé esa versión para convencer a una mujer de que me quisiera durante al menos unas horas).

Sirvieron un cordero con cuatro cuernos, de pie. Antes el servicio había consistido en una versión de la pirámide de Keops hecha de piñones y mazapán recubierta de polvo de oro. Vinos moscatel. Un jardín de azucenas en cuyo centro un jabalí asado atrapaba un conejo estofado. Al final, ya entrando la madrugada, mondadientes perfumados.

Era un poco ruda a pesar de la suavidad de sus relatos. Lo atribuí a su procedencia. No sé gran cosa de las fábricas o laboratorios de Bulgaria. Los imagino fríos. Grises. Por eso ella era un poco áspera.

Me pidió que la ayudara a conseguir una tarjeta verde de la forma más terrible. Me negué. La cosa se enfrió. Pero ahora que lo pienso bien... La Tigra Volatrice. Fue con ella que soñé.

—Los sueños sueños son.

—Contéstame una sola pregunta. Contéstala con rapidez y sinceridad. ¿Soy real?

—Más real que real.

—¿Ves?... ahora estoy más tranquilo.

21

Es como cuando la gente vivía en ciudades y en edificios. Esas habitaciones pequeñas con ventanas aún más pequeñas. Uno abría una lata de cerveza y miraba a la gente pasar. Era divertido. Nadie sabía que uno estaba mirando. Tú y tu cerveza mirando al mundo desde lo alto. El viejecito con su paraguas como bastón. Dos abogados presumiendo que dicen cosas importantes a un celular. Un tipo recolectando latas de aluminio. Cientos de personas como hormigas. En algún sitio lo he leído. Quiero decir, como leemos ahora. Uno y su cerveza mirando al mundo. Detenerse sólo para buscar la cajetilla de cigarrillos y fumar. Así planear el crimen. Un asesinato. Las mierdas que uno piensa cuando está ocioso y se vive en grandes edificios de apartamentos pequeños con ventanas aún más pequeñas. Ahora es diferente.

¿Cuántos somos?, pregunté un día, más por ocio que curiosidad. No hay por qué saberlo, me dijeron. Con-

tar a la gente es una sentencia. Las tecnologías de tabu-
lación fueron utilizadas por vez primera para realizar
censos de población en la Alemania nazi. Era un gran
recurso para manejar con eficiencia los campos de concentración. Eso fue hace casi trescientos años, dije yo,
ya la sangre se ha vuelto parte de los ordenadores. Será
esa tinta que no se ve. Será esa luz que despide. Nadie
sabe cuántos somos. Y nadie debe saberlo.

Los fui conociendo uno por uno. Celarent, el abisi-
nio, era aguador en el Subterráneo. El trabajo allí era
desolador. Con fino cable de fibra óptica conectado al
nervio óptico a través de la nuca y un sonar en el cuello, la movilidad no era cuestión sencilla. Pero el argumento de la agencia del Sistema era que aquello forma-
ba parte del operativo de seguridad. Celarent lo contaba: "Afuera, en la entrada, brilla una luz. Entre los sub-
terráneos y la salida hay un camino elevado y un muro
a lo largo del cual pasan los acarreadores. Los que tra-
bajan en el subterráneo son como nosotros, ven sombras proyectadas por la luz en el fondo de la caverna.
Cada linterna es como un pálido eco del sol. Pero mirar
a la planta generatriz implicaría ceguera momentánea".

Reconocí a Dharma, que era especialista en recono-
cimiento de caminos. Ferio, poeta, cuyo entreteni-
miento era destruir foros de discusión y participó junto
a Darii en la toma de Wall Street, logrando calcular las
fluctuaciones de la Bolsa de forma que pudo influir en
ella. Olbap, que hizo clausurar los almacenes de

Abastecimiento donde se hallaban listas para el consumo setas bulgaras que habían sido decomisadas en la Unión Europea (aduana de Estrasburgo) porque contenían cesio 137.

Los fui conociendo.

Y conversábamos. Sobre cualquier cosa. Una vez tratamos de explicar cómo fue posible la invención del fuego. O más bien su descubrimiento. Y cómo fue posible que se propagara por todo el globo.

Otro día alguien mencionó a La Búlgara. La historia de La Búlgara no tiene ninguna importancia. O quizás tiene toda la importancia. El asunto es que se había convertido en un relato oral. Un tema de sobremesa. Su llegada a una isla perdida del Caribe. Su enorme capacidad para reproducir lenguas sin necesidad de insertar programas en su memoria. Su cabello negro. Lo que más llamaba la atención era la insistencia en sus rasgos casi duros. Era una mujer hermosa. Pero había algo en su rostro que se traducía en dureza. A veces, el tono de la voz era un poco áspero. De repente esa visión desaparecía. Siempre sospeché que ocultaba algo. Nada extraño en una persona que no tiene el permiso de estadía en un territorio como éste. Tenía que renovar un permiso provisional constantemente. Por eso quizás se unió a un cocinero grasiento que llegó a convertirse en un maestro. Él podía ayudarla porque a pesar de su apariencia desaliñada tenía permiso de estadía. Nunca entendí eso de los permisos, las licencias, los papeles. Eso nada tiene que ver con las fluctuaciones del corazón. Pero el corazón no existe. Parece que no existe. Quiero decir, eso que uno llama de ese modo. No el músculo que late. No esa máquina que bombea líquidos espesos. Pero La Búlgara no es importante. Un personaje de esos que aparecen. Pretenden tener una gran importancia y de repente desaparecen cuando ya no sirven. O cuando ya no les sirves. No. No tiene ninguna pertinencia.

Antes podías abrir una lata de cerveza y mirar el mundo. Bueno... ahora también, pero no desde arriba. Lo que ha cambiado son los ángulos. Un poco.

22

DE QUÉ LADO del monitor estamos?
—Ésa no es la pregunta que debes hacerte.

23

EN LA PANTALLA APARECE. Sonrisa. Vestimenta impecable. Aparece públicamente. Es un estado del espíritu. Lo hemos visto fluctuar a través de las imágenes. Su rostro es un contenedor de energía diseminada. Brilla públicamente. En la pantalla impecable. Aparece. Igual desaparece y queda el sentimiento de que algún ser humano seguro de sí mismo y con proyectos de vida colectiva tiene el control. Alguna gente se siente feliz y hasta satisfecha con la situación. Voy en el tren y ahí está. El anuncio publicitario. El Administrador con los ejecutivos.

Me bajo en la 26 y Media. Donde antes estaba el Blues Clues hay ahora un negocio de comida rápida. De esa que si no te apuras se desvanece. Y allí no estaría, claro, La Tigra Volatrice. Entro.

—Combinación 3 Lo Mein.

—Combinación 3 Lo Mein —repite la cajera—. ¿Algo más con su orden?

—Agua.

—Con refresco —dice la muchacha por el micrófono—. Trece noventa y cinco.

Saco de mi billetera un holograma de La Tigra Volatrice.

—¿Has visto a esta mujer?

—No. Trece noventa y cinco. Gracias. Próximo en la fila.

Por supuesto. Sólo en las películas clásicas ocurren esas cosas. Desapareció hace tiempo. Y la muchacha que toma las órdenes no está programada para reconocer a los que han desaparecido del relato de mi vida. Y le entrego la cantidad que me pide. Y sonrío pensando en Windows, a quien aparentemente he tocado. La que me ha derramado a mí mismo sobre ella. La fiel fugada.

24

S CAPPI, IL CUOCO secreto del Papa, fue descubierto por un editor veneciano en el 1571. Ese emprendedor visionario es un héroe. Ahora todos, gracias a aquella publicación, podrían comer como el Sumo Pontífice. Por eso nuestras organizaciones tienen como modelos las hermandades de los fabricantes de mostaza y cocineros de salsa, que adquirieron mucho poder en la Edad Media. Imaginar el hambre, soñar con satisfacerla, prender el horno, sentir todo el proceso de digestión, defecar, ése es el detalle, recuperar la conciencia del cuerpo. Imaginar el hambre. Imaginar la digestión. Preparar una receta mientras te miro. Contártela. Aderezarte. Usar las manos y los pies y la nariz y la lengua. Comerte poco a poco y, luego, tú preparas una receta, la cuentas, me aderezas, usas las manos, las uñas, los pies, la lengua, comes poco a poco, luego, existimos.

25

STB ERA REAL. CREO. Era porque lo asesinaron.
Algún policía asustado por su apariencia. Confundido, quizás, por su propio enigma. Era un buen
hombre. Algunos no podían soportar su manera de ser
un signo. Todavía hay quien insiste en proveerle de sig-
nificado, uno sólo, a las cosas. Como si los cuerpos
tuviesen una sola posibilidad. La sangre le recorrió el
pecho como un strip-tease desesperanzado. Como un
nudo en la garganta. No estoy seguro de cómo decirlo.
Era mi amigo. Ni aun ahora puedo estar seguro de que
está en mi memoria. Quizás es una ilusión formal. Pero
me gustaría pensar que STB es parte de mi pasado.
Que conocí a un tipo así. Era un buen hombre. Está
muerto.

Basilio Borinsky no tuvo que esperar a los esbirros.
Él decidió su muerte. No recargó la batería de su corazón. Una tarde me pidió prestada mi Perceptron. Se fue
a su apartamento y allí lo encontraron, 24 horas des-

pués, conectado aún, sonreído y muerto. Tomé la máquina e introduje el programa que había estado utilizando Basilio. Conducía un auto por una carretera de Cisjordania al sur de Jerusalén. Hay un arma debajo del asiento del conductor. Justo cuando el auto se acerca a la salida hacia la cercana Belén un soldado israelí aparece a la derecha del monitor. Da el alto. El contador de la Perceptron se detiene ahí. Los signos vitales de Beebo se apagaron. Su corazón se detuvo. Era un buen hombre.

26

ELLA ERA DE VERDAD. La realidad es lo que deja huellas. Punto. Entonces las largas piernas de Sofía Martini no eran una ilusión. Sus tetas, que de forma tenaz me miraban, estaban allí. Elaboraba informes con los cuerpos como si fueran libros que analizaba. Conocía de ellos como si se tratara de un plato internacional con ingredientes y medidas precisas. Aquella voz de niña, completamente perdida en aquel hermoso marco de mujer era real. Lo que deja huellas, me dijo Windows al oído. Un recuerdo, la velocidad de una hoja cayendo, la brisa, las seis de la tarde, la puesta del sol, la mirada de un viejo que pasa, el día aquél, la suavidad de la seda, tu risa, el viaje a la Luna, las fotos de los aros de Júpiter, la posibilidad de que el pequeño planeta Eros tropiece con la Tierra dentro de quince mil años, que los orixas sobreviven en tiempos de descreer, lo que deje huellas.

27

Y ALLÍ ESTABA LA GRAN máquina de la vida. Funcionando sin detenerse durante millones de años. Transporte, almacén de residuos nucleares, regulador del clima, laboratorio de medicamentos, estimulantes cardíacos y anticancerígenos. Proveedor de titanio y cadmio. Sustituto de la sangre. Gran máquina productora. Fuente de alimentos. Amplificador de energía, herramienta, instrumento, función, motor eléctrico, hidráulico. Y poco a poco desgastándose.

Y allí estaba. La gran máquina como extensión instrumental del funcionamiento de la realidad. Pero la realidad es un fósil de la memoria. Habría que volver a ser un molusco, ese frágil animalito con formas complejas de memorización.

Y nosotros mirando. Una pareja de los más antiguos peces. El lado femenino de la tierra, me dices. Millones de danzarinas del séquito de algún dios, te digo. El arte de la azul seducción. Te digo ondina, melusina, tomas en tus manos mi cola de pez. Náyade, nereida, sirena, azufre y mercurio en estado disuelto, le digo. Me llama undécimo signo del zodíaco. Virgo, comento. Una ola es una nube que espía. Es un mundo, tiene peso y tiene corazón, un gran corazón salado y profundo.

El mar, quiero decir. Esa enorme intimidad. Ese destino. El vértigo. La pena del agua es infinita. Y por eso nos lanzamos uno en el otro. Tu sexo es un teorema de limo, un tibio mapa de los elementos, un vaivén. El mar, digo, mirándolo. El mar, dices.

28

Estábamos en aquel lugar alejado del Centro. Y estábamos bien. A veces alguien llegaba por allí. Como aquella vez que Lem me devolvió la visita, cargado de jarrones de agua.